인간실격

다자이 오사무

목차

서문

나는 그 남자의 사진 세 장을 본 적이 있다.

한 장은 그 남자의 유년 시절이라고 할 수 있는 열 살 전후로 추정되는 사진이었는데, 그 아이는 많은 여성에게 둘러싸여(그건 그 아이의 누나, 동생, 사촌들 같았다.) 정원 연못 부근에서 거친 명주 하카마袴를 입고 서서 삼십도 정도 좌측으로 고개를 기울이며 추하게 웃고 있는 사진이었다. 추하게? 그러나 둔한 사람들(다시 말해 아름다움에 관해 관심이 없는 사람들)은 감흥 없는 얼굴로,

"귀여운 도련님이네."

라고 대충 칭찬해도 인사치레라고 들리지 않을 정도로

이른바 통속적인 '귀여운' 음영이 그 아이의 웃음에 없는
건 아니었으나, 조금이라도 아름다움에 대한 조예가
있는 사람이라면 슬쩍 보는 것만으로도 곧장,

"정말 기분 나쁜 아이네."

하고 굉장히 불쾌한 듯 중얼거리며, 송충이라도
쫓아내는 듯한 손동작으로 그 사진을 치워버릴지도 모를
일이다.

그 아이의 웃음에서는 보면 볼수록 뭐라 형언할 수
없는 이상하고 기분 나쁜 무언가가 느껴졌다. 애초에
그것은 미소가 아니었다. 그 아이는 조금도 웃고 있지
않았던 것이다. 그 증거로 이 아이는 양손 주먹을 꽉
쥐고 서 있었다. 인간은 주먹을 쥐며 웃을 수 있는
존재가 아니다. 원숭이다. 원숭이의 웃음이다. 단순히
얼굴에 추한 주름을 만들어내고 있을 뿐이었다.
'쭈ㄴ렁탱이 도련님'이라고 말하고 싶어질 정도로

정말이지 기묘하고 어딘지 모르게 역겨우며, 이상하게 사람을 거슬리게 만드는 표정을 담은 사진이었다. 나는 여태껏 이런 신기한 표정을 한 아이를 단 한 번도 본 적이 없다.

두 번째 사진은 놀랄 만큼 얼굴이 딴판이었다. 학생시절 모습이다. 고등학생인지 대학생인지 확실하지는 않지만 아무튼 놀라울 정도로 출중한 용모를 자랑하는 학생이었다. 그러나 그 역시 이상하게 살아 있는 인간 같지가 않았다. 가슴팍 주머니에 하얀 손수건을 끼워 넣은 교복 차림으로 등나무 의자에 앉아 다리를 꼰 채, 여기서도 웃고 있었다. 이 사진의 미소는 쭈글쭈글한 원숭이 웃음이 아닌 상당히 능숙한 미소였으나 인간의 웃음과 어딘가 달랐다. '피의 무게'라고 할까, '생명감'이라고 할까? 그러한 종류의 충실함은 어디서도 찾아볼 수 없었고, 새라기보다 새의

깃털처럼 가볍게, 그저 한 장의 종이처럼 얄팍하게 웃고 있다. 다시 말해, 하나부터 열까지 꾸며낸 것처럼 느껴졌다. 비위에 거슬린다고 하는 표현으로는 부족하다. 경박하다고 하는 것 역시 부족하다. 간살맞다거나 세련되다고 표현해도 여전히 부족하다. 게다가 자세히 보면 용모가 출중한 학생임에도 어딘지 모르게 괴담에서 튀어나올 것처럼 불쾌하게 느껴지는 것이었다. 나는 여태껏 이런 신기한 모습을 한 청년을 단 한 번도 본 적이 없다.

마지막 사진은 가장 기괴한 것이었다. 더는 연령을 추측해낼 수가 없었고 흰머리가 약간 섞여 있던 것 같다. 매우 더러운 방(세 군데 정도 무너져 내린 벽이 그 사진에 선명하게 찍혀 있었다.)구석에서 작은 화로에 양손을 대고 있었는데 이번에는 웃지 않았다. 표정이 없었다. 다시 말해, 화롯가에 앉아 불을 쬐면서 자연스럽게 죽은 것 같은, 정말 꺼림칙하고 불길한 냄새가 나는 사진이었다. 기괴한 것은 그것만이 아니었다. 얼굴이 상당히 커다랗게 찍혀 있는 사진이라서 얼굴 구조를 세세하게 살필 수 있었는데, 이마와 이마 주름은 평범, 눈썹과 눈도 평범, 코도 입도 턱도. 아아, 이 얼굴은 표정이 없기만 한 게 아니라 인상조차 없었다. 특징이 아예 없는 것이다. 이를테면 내가 이 사진을 본 후 눈을 감으면 즉시 그 얼굴을 망각할 것이다. 방 안의 벽이나 작은 화로는 떠올릴 수 있어도 방 주인 얼굴의 인상은 흔적도 없이 사라지고 아무리 떠올리려 해봐도 기억나지 않는다. 그림이나 만화 따위가 성립하지 않는 얼굴이었다. 눈을 뜬다. '아, 이런 얼굴이었나. 생각났다.'라고 하는 기쁨조차 없다. 극단적으로 말하자면 눈을 뜨고 사진을 다시 봐도 떠올릴 수 없다. 그저 너무도 불쾌하고 짜증이 나서 저도 모르게 고개를 돌리고 싶어진다.

이른바 '죽을상'에도 표정이나 인상 따위가 있는 법인데, 인간의 육체에 말 대가리라도 붙여놓으면 이런 느낌이 날까? 아무튼 모든 점에 있어서 보는 이로 하여금 소름 끼치고 불쾌하게 만들었다. 나는 지금까지 이런 기괴한 남자의 얼굴을 본 적이, 물론 단 한 번도 없다.

첫 번째 수기

너무도 수치스러운 생애를 보냈습니다.

인간의 삶이라는 걸 헤아릴 수가 없습니다. 저는 북동쪽에 있는 시골 변방에서 태어났기 때문에 기차를 처음 본 것은 나이를 꽤 먹고 난 후였습니다. 정거장의 브리지[1]를 오르내리는 것이 선로를 건너기 위해 만들어졌다는 걸 꿈에도 생각지 못하고, 그저 역사 안을 외국 놀이 시설처럼 복잡하고 즐겁게 만들기 위해 설치되어 있을 뿐이라고 생각했습니다. 게다가 꽤 오랫동안 그렇게 생각했습니다. 다리를 오르내리는 것이 제게는 세련된 놀이였고 그것은 철도 회사에서 제공하는 가장 멋진 서비스 중 하나라고 생각했었는데, 나중에 그것이 단순히 사람들이 선로를 건너기 위한 실리적인 계단에 불과하다는 걸 발견하고 나서 별안간 흥이 깨지고 말았습니다.

또한 어렸을 적에 저는 그림책에서 지하철도를 보고서 그것도 실리적인 필요 때문에 고안된 것이 아니라 지상에서 타는 것보다 지하에서 타는 게 더 특이하고 재미있는 놀이라서 그런 거라고 생각했습니다.

저는 어려서부터 병약하여 자주 누워있었는데 잠자리에 들어서 베개나 이불 커버 같은 것들이 생각할수록 아름답지 않은 장식이라고 생각했고, 그것이 의외로 실용품이었다는 사실을 스무 살 가까이 되어서야 알게 되었는데, 인간의 검소함에 암담해진 나머지 슬퍼졌습니다.

그리고 저는 공복감이 어떤 것인지 몰랐습니다. 그건 제가 의식주에 문제가 없는 집에서 태어났다고 하는 의미가 아니라, 그런 바보 같은 의미가 아니라 '공복'이란 감각이 어떤 것인지 전혀 알 수 없었습니다. 이상한 말 같지만 배가 고파도 배가 고픈지 알 수가 없었습니다.

제가 학교에서 돌아오면 사람들이 "배고프지. 우리들도 잘 알고말고. 학교에서 돌아오면 공복감이 상당하니까. 아마낫토甘納豆² 는 어때? 카스텔라나 빵도 있단다."라고 하며 수런거렸기에, 저는 천성적인 아첨꾼 정신을 발휘하여 "배고파."라고 중얼거리며 아마낫토를 열 알이나 입 속에 넣었으나, 공복감이란 게 대체 무엇인지 전혀 몰랐습니다.

물론 저 역시 많이 먹긴 했지만 공복감으로 먹은 기억은 거의 없습니다. 희귀한 것도 먹고 호화로운 것도 먹습니다. 그리고 다른 집에서 주는 것도, 무리하면서도 대부분은 잘 먹습니다. 그리고 어렸을 적 가장 괴로웠을 때는 사실 집에서 밥을 먹을 때였습니다.

시골집에선 열 명 정도 되는 가족 모두가 상을 두고 마주 보고 앉았고, 물론 막내인 제가 말석이었는데 식사하는 방은 어두컴컴했고, 점심 같은 경우 십여 명의 가족이 묵묵히 밥을 먹고 앉아 있는 모습을 보며 항상 섬뜩해졌습니다. 게다가 예스러운 시골집이라서 반찬도 대부분 정해져 있었고, 희귀하거나 호화로운 것은 바랄 수 없어서 식사 시간이 더욱 두려웠습니다. 저는 어두컴컴한 방 말석에서 섬뜩함으로 사시나무 떨듯 몸을 떨면서도 밥을 입에 조금씩 넣어가며, '인간은 어째서 하루에 세 번씩 밥을 먹어야만 하지? 다들 너무나 엄숙한 얼굴로 먹고 있어. 이것도 일종의 의식 같은 거라서 가족이 하루에 세 번 시간을 맞춰서 어두컴컴한 방에 모이고, 상을 질서 정연하게 놓고서 먹고 싶지 않아도 아무 말 없고 밥을 씹으며, 고개를 숙이고 집안 곳곳에 굼실거리는 유령들에게 기도하기 위한 것일지도 몰라.' 하고 생각한 적이 있습니다.

밥을 먹지 않으면 죽는다고 하는 말은 제 귀에는 그저 짜증스러운 위협으로 늘렸습니다. 하지만 그런 미신은

(저는 지금까지도 어딘지 모르게 미신처럼 보입니다만) 언제나 제게 불안과 공포를 선사했습니다. 인간은 밥을 먹지 않으면 죽으니까 죽지 않기 위해 일하고 밥을 먹어야만 한다는 말만큼 제게 난해하고 난삽하며 협박 같은 울림을 느끼게 만드는 말은 없습니다.

다시 말해 저는 인간의 생업에 대해 여전히 아무것도 모르고 있다는 게 될 것입니다. 행복에 대한 저와 세상 사람들의 관념이 마치 비껴있는 것 같은 불안, 저는 그 불안 탓에 매일같이 잠들지 못하고 뒤척이다가 발광 직전까지 간 적도 있습니다. 저는 과연 행복한 걸까요? 어렸을 때부터 여러 번 남들에게 행복한 사람이라는 소리를 들었는데, 저는 언제나 지옥 같은 기분이었기에 도리어 제가 행복하다고 하는 사람들이야말로 저와 비견할 수 없을 정도로 훨씬 더 안락해 보였습니다.

제게는 불행 덩어리가 열 개 있었고 그중 하나라도 주

변 사람이 짊어진다면, 그것만으로도 그들의 생명을 충분히 앗아갈 것으로 생각한 적마저 있습니다.

다시 말하자면 잘 모르겠습니다. 주변 사람이 느끼는 괴로움의 성질과 정도가 전혀 예상되지 않습니다. 그저 실제적인 고통, 밥만 있으면 해결되는 괴로움, 하지만 그것이야말로 가장 강력한 괴로움이며 내가 가진 열 개의 불행 따위는 단숨에 날려버릴 정도로 처참한 아귀 지옥일지도 모르겠다. 그건 잘 모르겠지만 그러면서 잘도 자살하거나 미쳐버리지도 않고서 정당을 논하고, 절망하거나 굴하지 않는 생활 속 싸움을 이어가고 있으니 괴롭지 않은 게 아닌가? 완벽한 에고이스트인데다 그것이 당연하다고 확신하며 단 한 번도 자신을 의심해본 적이 없는 게 아닌가? 그렇다면 편하다. 하지만 인간이라는 건 모두 그런 식이고, 그걸로 만족하는 게 아닌가? 모르겠다. ......밤에는 푹 자고 아침에는 상쾌한 걸까, 어떤 꿈

을 꿨을까, 길을 걸으며 무슨 생각을 할까, 돈? 설마 그
것만은 아니겠지, 인간은 먹기 위하여 살고 있다는 말은
들어본 적이 있어도 돈을 위해 산다는 말은 들어본 적이
없다. 아니, 하지만 때에 따라서는, ...아니, 그것도 모
르겠다. ......생각하면 할수록 아무것도 모르겠고 저 혼자
만 이상한 게 아닐까 하는 불안과 공포에 휩싸일 뿐입니
다. 저는 사람들과 제대로 대화하지 못합니다. 무엇을
어떻게 말해야 할지 모르기 때문입니다.

그래서 생각해 낸 것이 익살입니다.

그것이야말로 인간에 대한 저의 마지막 구애였습니다.
저는 인간을 극도로 두려워하면서도 인간을 떨쳐낼 수
없었던 모양입니다. 그렇게 익살이라는 하나의 선으로
조금이나마 인간과 이어질 수 있었습니다. 겉으로는 끊
임없이 미소를 만들면서도 속으로는 천분의 일 확률이라
고 할 정도로 위험천만하고 필사적인 진땀 나는 서비스

였습니다.

저는 어렸을 적부터 가족을 대할 때조차 그들이 무엇을 괴로워하고 무얼 생각하며 살고 있는지 전혀 가늠할 수 없었고, 그저 두렵고 거북스러워서 그것을 견디지 못하고 금세 익살에 능숙해졌습니다. 다시말해 저는 어느새 단 한마디도 진실한 말을 하지 않는 아이가 되고 말았던 것입니다.

당시 가족들과 함께 찍은 사진을 보면 다른 이들은 모두 진지한 얼굴을 하고 있는데 저 혼자만 기묘하게 얼굴을 찡그리며 반드시 웃고 있습니다. 그것 역시 제 어릴 적 서글픈 익살의 일부분입니다.

그리고 저는 친지들에게 무슨 말을 듣고 말대답을 한 적이 한 번도 없습니다. 그런 작은 불평은 제게 청천벽력과도 같이 강하게 느껴져 미쳐버릴 것 같았고, 말대답은거녕 그 불평이야말로 과서에서 이어져 온 인간의 '진리'임이 분명하며, 제게는 그 진리를 이행할 힘이 없으니까 머지않아 사람들과 함께 살 수 없게 될 것이라고 굳게 믿었습니다. 따라서 제게 말싸움이나 자기변호는 불가능했습니다. 타인에게 욕을 먹으면 제가 심한 착각에 빠져있었던 것 같아서, 언제나 묵묵히 그런 공격을 받으며 내심 미쳐버릴 정도의 공포를 느꼈습니다.

그야 누구든 남에게 비난 받거나 혼나면 기분이 안 좋겠지만, 저는 화내고 있는 인간의 얼굴에서 사자나 악어, 용보다도 더 두려운 동물의 본성을 보았습니다. 평소에는 본성을 숨기고 있는 것 같지만 어떤 기회로, 이를테면 소가 초원에서 얌전히 잠들어 있다가 갑자기 배에 붙어있는 등에를 꼬리로 죽이는 것처럼, 불시에 두렵기 짝이 없는 인간의 본성이 분노로 인해 폭로되는 모습을 보면서, 언제나 머리카락이 곤두설 정도의 전율을 느꼈고 그러한 본성마저 인간이 살아가는 자격 중 하나일지도 모른다고 생각하니 절망 비슷한 것마저 느껴졌습니다.

항상 인간에 대해 공포로 떨었고 한편으로 인간으로서의 제 언동에 어떠한 자신감도 갖지 못한 채 혼자만의 번뇌는 가슴 속 작은 상자에 숨겼으며, 그런 우울함이나 초조함을 필사적으로 숨기며 언제나 천진난만하고 낙천적인 성격을 꾸며내면서, 저는 점차 익살스러운 별종으로 완성되어 갔습니다.

'일단 웃기기만 하면 된다. 그러면 인간들은 그들이 흔히 말하는 '삶' 밖에 내가 존재해도 그다지 신경을 안 쓰지 않을까? 아무튼 거스르면 안 된다, 나는 아무것도 아니다. 바람이다. 공기다.' 같은 생각만 커졌고, 저는 익살을 통하여 가족들에게 웃음을 선사했으며, 가족보다 더 난해하고 두렵기 짝이 없는 집에서 일하는 사람들에게도 필사적으로 광대의 서커스를 선보였습니다.

여름에 유카타浴衣 안에 붉은 털실로 만든 스웨터를 입

고 돌아다니며 사람들을 웃겼습니다. 잘 웃지 않는 맏형도 그걸 보고 웃음을 터뜨리더니,

"요조야, 그건 너무 이상해."

라며 귀여워 죽겠다는 어조로 말했습니다. 그야 아무리 그래도 그렇지, 저는 한여름에 털실로 짠 스웨터를 입고 돌아다니는, 추위나 더위를 모르는 괴짜가 아니었습니다. 양팔에 누나의 레깅스를 끼우고 유카타 소매를 통해 보이도록 하여 스웨터를 입고 있는 것처럼 꾸민 것뿐입니다.

우리 아버지는 도쿄에 자주 가던 사람이라서 우에노上野 사쿠라기초桜木町에 별장을 두고 한 달에 대부분을 그 별장에서 지내고 있었습니다. 그리고 돌아올 때 가족들 몫은 물론이고 친척들 것까지, 실로 어마어마한 양의 선물을 사 들고 오는 것이 아마도 아버지의 취미 비슷한 것이었던 모양입니다.

언제였는지 아버지가 상경하기 전날 밤에 아이들을 방에 모아놓고 다음에 돌아올 때는 어떤 선물이 좋은지 미소를 띠며 한 사람씩 돌아가며 물어보았고, 그에 대한 아이들의 대답을 일일이 수첩에 적었습니다. 아버지가 이런 식으로 아이들에게 친절했던 것은 드문 일이었습니다.

　"요조葉蔵는?"

　이라고 아버지가 물어보았으나 저는 아무 말도 하지 못했습니다.

　뭐가 필요하냐고 물으면 그 순간 모든 것이 필요 없어지는 것이었습니다. '아무래도 좋아, 어차피 나를 즐겁게 만드는 건 없다.'라고 하는 마음이 살며시 움직였습니다. 그와 동시에 타인에게 받은 것이 아무리 자신의 취향과 맞지 않더라도 그것을 거절할 수가 없었습니다. 싫은 것을 싫다고 못 하고 좋아하는 것에 대해서도 머뭇거리며 훔치는 것 같은 극도의 쓸쓸함을 맛보았으며, 형언할 수 없는 공포감에 몸부림쳤습니다. 다시 말해, 양자택일을 할 힘조차 없었습니다. 그러한 것이 결국 해가 바뀌고 나서 저의 '수치스러운 생애'의 중대한 원인이 되는 버릇 중 하나가 되지 않았나 싶습니다.

제가 계속해서 우물쭈물하니 아버지는 조금 언짢은 표정을 짓더니,

"역시 책인가. 아사쿠사浅草 나카미세仲店에 정월 사자춤의 사자탈, 아이가 쓰고 놀기에 딱 좋은 크기를 팔고 있던데 필요 없나."

필요 없느냐는 말을 들으면 이미 끝장입니다. 익살스러운 대답 같은 걸 할 수 있을 리 없습니다. 완전히 광대 연기자 실격입니다.

"책이 낫겠죠."

맏형이 진지한 얼굴로 말했습니다.

"그러냐."

아버지는 흥이 깨진 얼굴로 적지도 않고 수첩을 덮어 버렸습니다.

이런 실패를 하다니, 화가 난 아버지의 복수는 분명 무지막지할 것이 뻔하고, 지금 당장 어떻게든 해서 엎질러진 물을 주워 담을 방법을 고민하며, 그날 밤 이불 속에서 두려움으로 인해 오들오들 떨다가 살며시 거실로 나가서, 아까 아버지가 수첩을 넣어둔 것으로 여겨지는 책상 서랍을 열어서 수첩을 꺼낸 후, 선물을 적어둔 부분을 찾아내어 연필에 침을 묻혀 '사자춤'이라고 써놓고 잠들었습니다. 저는 사자탈 같은 건 조금도 원치 않았고 도리어 책이 나았습니다. 하지만 아버지가 사자탈을 제게 사주고 싶어 한다는 사실을 깨닫고 아버지의 뜻을 받아들여, 아버지의 기분을 풀어주고 싶다는 일념으로 한밤중 방에 **숨**이 들어가는 보험을 단행한 것입니다.

결국 제 비장의 수단은 예상대로 대성공을 거두었습니다. 이윽고 도쿄에서 돌아온 아버지가 커다란 소리로 어머니를 부르는 것을 제 방에서 듣고 있었습니다.

"나카미세 장난감 가게에서 수첩을 펼쳐보니 이거 봐, 여기 사자춤이라고 적혀 있어. 이건 내 글씨가 아니야. 그러면 누가 적은 건지 곰곰이 생각하다가 이게 요조의 장난이라는 걸 알아차렸지. 그 녀석, 내가 물어봤을 때는 아무 말 없이 웃기만 하더니 아무래도 나중에 사자탈이 갖고 싶어서 견딜 수 없어진 게지. 녀석은 굉장히 특이한 꼬맹이니까 말이야. 시치미를 떼고 이렇게 잘도 적어놨어. 그렇게 가지고 싶었으면 솔직히 말하면 될 것을. 난 장난감 가게 앞에서 웃어버리고 말았지. 요조를 빨리 이리로 불러와."

한편 저는 집에서 일하는 사람들을 방에 모아놓고 그중 남자 한 명에게 피아노 건반을 마구잡이로 치게 하고

(시골이긴 했지만 이 집에는 없는 물건이 거의 없었습니다.), 엉망진창인 곡에 맞춰 인디언 춤을 추며 모두를 폭소하게 했습니다. 둘째 형은 플래시를 터트리며 제 인디언 춤을 촬영했는데 현상한 사진을 보니 제 배에 두른 천(그건 사라사saraca로 만든 보자기였습니다.)의 솔기에서 작은 고추가 보였기 때문에 또다시 사람들을 웃게 했습니다. 이게 또 의외의 성공이라고 할 수 있었던 건지도 모르겠습니다.

저는 매월 신간 소년 잡지를 열 권 이상 보고 있었고 그 외에도 여러 가지 책을 도쿄에서 주문하여 묵묵히 읽고 있었기에, 메챠라쿠챠라 박사나 난쟈몬쟈 박사는 굉장히 친숙했고 괴담과 야담, 라쿠고, 재담 같은 이야기에도 훤해서, 우스꽝스러운 것을 진지한 표정으로 말하며 사람들을 웃기는 건 식은 죽 먹기였습니다.

하지만 아아, 학교!

저는 그곳에서 존경받을 뻔했습니다. 존경받는다는 관념 역시 저를 굉장히 두렵게 만드는 것이었습니다. 거의 완벽에 가깝게 사람을 속이다가 어느 전지전능한 사람에게 간파당하여 산산조각이 나고, 결국에는 차라리 죽는 게 나은 개망신을 당한다는 것이 '존경받는다'라는 상태에 대해 제가 내린 정의였습니다. 인간을 속이며 '존경' 받아도 누군가 간파하여 얼마 안 있어 그 사람에 의해 다른 사람들도 속았다는 걸 깨닫는 그때, 사람들의 분노와 복수라는 건 대체, 아무튼 어떨까요? 상상만으로 온몸의 털이 곤두서는 것 같습니다.

저는 돈 많은 집에서 태어났다기보다 흔히 말하는 '우수하다'라는 것에 의해 학교에서 존경을 받을 뻔했습니다. 저는 어려서부터 병약하여 자주 한두 달을 쉬거나 간혹 한 학년에 가까울 정도로 자리에 누워 학교를 쉰 적도 있는데, 그런데도 병석에서 갓 일어난 몸으로 등교하여 학년말 시험을 보았는데, 그게 학급에서 성적이 가장 좋았던 모양입니다. 저는 몸 상태가 좋을 때도 전혀 공부하지 않았고, 학교에 가서도 수업 시간에는 만화 따위를 그리며 휴식 시간에 그것을 반 아이들에게 설명하여 웃음을 자아냈습니다. 그리고 작문 시간에는 웃긴 이야기만 적어서 선생님께 주의를 받으면서도 고치지 않았습니다. 선생님이 사실은 제 이야기를 은근히 기대하고 있다는 것을 알았기 때문입니다. 어느 날 저는 평소처럼 어머니 손을 잡고서 상경하던 중 기차에서 객차 통로에 있는 단지[3]에 소변을 보게 된 실패담(하지만 단지의 용도를 모르고 한 일이 아니었습니다. 아이의 천진난만함을 앞세워 일부러 그렇게 한 것입니다.)을 은근히 슬프다는 식으로 적어서 제출하면 분명 선생님이 웃을 거라고 자신했기에 교무실로 돌아가는 선생님 뒤를 조심스럽게 밟았더니, 아니나 다를까 선생님은 교실에서 나가자

마자 다른 아이들의 작문 속에서 제 것을 찾아내어 복도를 걸으며 읽기 시작했고, 키득키득 웃으며 교무실에 들어가서는 금세 다 읽은 건지 엄청난 소리로 웃으며 얼굴이 뻘겋게 상기된 채 곧장 다른 선생님들에게 그것을 읽도록 하는 걸 보고 난 저는 굉장히 만족스러웠습니다.

천진난만한 장난꾸러기.

저는 이른바 천진한 개구쟁이로 보이는 것에 성공했습니다. 존경 받는 것에서 벗어나는 데 성공한 것입니다. 통지표는 전 과목이 10점 만점이었지만 품행만은 7이나 6이었기 때문에 그게 또 가족들을 웃기는 재료가 되었습니다.

하지만 제 본성은 그런 천진난만한 장난꾸러기와 대척점에 있었습니다. 당시 저는 집에서 일하는 사람들에게 이미 서글픔을 배우고 곤욕을 치른 겁니다. 어린아이에게 그런 짓을 하는 건 인간이 저지르기 쉬운 범죄 중에서도 가장 추악하고 저질스러우며 잔혹한 일이라고, 지금은 그렇게 생각합니다. 하지만 저는 견뎌냈습니다. 그리고 인간의 또 다른 특성을 본 것 같은 기분마저 들었기에 힘없이 웃었습니다. 만일 제게 진실을 말하는 습성이 있었다면 주눅 들지 않고 그들의 범죄에 대해 부모님께 고자질할 수 있었을지도 모릅니다. 하지만 저는 아버지나 어머니 역시 전부 이해할 수 없었습니다. 남에게 호소하다니, 그런 수단에는 조금도 기댈 수 없었습니다. 부모님께 호소하거나 경찰이나 정부에 호소한 대도 결국 처세에 능한 사람이 자기 좋을 대로 기세 좋게 떠들어댈 뿐인 게 아닐까요?

무조건 편파적이리라는 걸 너무도 잘 알고 있어서 인간에게 호소해도 다 쓸데없는 짓이니까, 진실은 입에 담지 말고 참으며 광대 짓을 계속하는 것밖에는 방법이 없는 것 같았습니다.

어쩌면 '사람에 대한 불신을 논하는가. 네가 언제부터 크리스천이었지?'라며 비웃는 사람이 있을지도 모르겠지만, 인간에 대한 불신이라는 건 꼭 그렇게 종교와 이어지는 거라고 단정할 수 없다고 생각하는데요. 실제로 그렇게 비웃는 사람도 포함하여, 인간은 서로에 대한 불신 속에서 여호와나 그 무엇도 염두에 두지 않고 아무렇지 않게 사는 게 아닙니까? 이 역시 어렸을 적 일입니다만, 아버지가 소속되어 있던 어느 정당의 유명인이 이 마을에 연설을 하러 왔는데, 저는 집에서 일하는 사람들 손에 이끌려 연설을 들으러 극장에 갔습니다. 그곳은 사람들로 가득했고 이 고장에서 아버지와 친한 사람들은 모두 자리하여 성대한 박수를 보냈습니다. 연설이 끝나고 청중은 눈 내리는 밤길에서 삼삼오오 귀가를 서두르고 있었는데, 너나 할 것 없이 연설회에 대한 욕을 하는 것입니다. 개중에는 아버지와 매우 친한 사람의 목소리도 섞여 있었습니다. 아버지가 본 사회도 어설펐고 유명인의 연설 역시 뭐가 뭔지 알 수가 없다고 하며, 이른바 아버지의 '동지들'은 성난 어조로 말했습니다. 그러면서 그 사람들은 우리 집에 잠시 들러 객실에 모여서는 진심 어린 밝은 얼굴로 오늘 밤 연설회는 대성공이었다고 아버지에게 말했습니다. 어머니에게 오늘 밤 연설회에 대한 감상을 질문 받은 집에서 일하는 사람들까지 정말 재미있었다고 하며 시치미를 뗐습니다. 연설회만큼 지루한 건 없다고 돌아오는 길에 계속 투덜거리고 있었으면서 말입니다.

하지만 이런 건 사소한 일에 불과합니다. 서로서로 기만하면서 신기하게도 서로 상처 입지 않는 건 물론이고 서로 속이고 있다는 것마저도 자각하지 못하는, 지극히 맑고 밝으며 명랑하기까지 한 불신이 인간의 삶 속에 충만한 것 같습니다. 하지만 전 서로를 속이고 있다는 것에는 별반 관심이 없습니다. 저 역시 광대 짓을 하며 밤낮없이 사람들을 기만하기 때문입니다. 저는 도덕 교과서에서 나오는 정의라느니 뭐라느니 하는 것에는 그다지 관심이 없습니다. 서로 속이면서 밝고 명랑하게 살고, 그렇게 살아갈 자신감을 가진 인간이란 것이 난해합니다. 인간은 끝까지 제게 그런 오묘한 진리에 대해 알려주지 않았습니다. 그것만 알 수 있었더라면 저는 인간을 두려워하거나 필사적인 서비스를 하지 않을 수 있었겠죠. 인간의 삶과 대립하게 되어 매일 밤, 이 정도로 지옥 같은 고통을 맛보지 않았겠죠. 다시 말해, 제가 증오해야 마땅한 집에서 일하는 사람들의 범죄조차 그 누구에게도 말하지 않았던 것은 인간에 대한 불신 때문이 아니고 물론 그리스도주의 때문도 아니었으며, 사람들이 요조라고 하는 저에 대한 신뢰의 껍질을 굳게 닫고 있었기 때문이 아닐까 합니다. 부모님조차 제게 때때로 난해함을 보여주니까요.

그렇게 누구에게도 풀어낼 수 없는 제 고독의 향기를 많은 여성이 본능적으로 알아차렸고, 후일 제가 휩쓸리는 여러 가지 원인 중 하나가 된 것 같기도 합니다.

다시 말해, 저는 여성에게 사랑의 비밀을 지키는 남자였다는 것입니다.

두 번째 수기

바닷가라고 해도 좋을 정도로 바다와 가까운 해안가에, 새까만 나무껍질을 가진 커다란 산벚나무가 스무 그루 이상 줄지어 있고, 새 학기가 시작되면 산벚나무가 끈적거릴 것 같은 갈색 새싹과 함께 푸른 바다를 배경으로 현란한 꽃을 피우며, 이윽고 꽃이 눈보라처럼 흩날리는 시기가 되면 수많은 꽃잎이 바다까지 흩날리며 바다 위를 아로새기면서 떠다니다가 파도에 이끌려 다시 바닷가로 되돌아오는 벚꽃 모래사장을 고스란히 교정으로 사용하고 있던 동북지방 어느 중학교에, 저는 제대로 수험공부를 하지 않았음에도 불구하고 무사히 입학할 수 있었습니다. 그리고 학교 모자에 달린 휘장이나 교복 단추에도 벚꽃이 핀 것처럼 디자인되어 있었습니다.

중학교 바로 옆에 우리 집과 먼 친척뻘 되는 사람의 집이 있었는데, 그런 이유로 아버지가 바다와 벚꽃의 중학교를 골라주었던 것입니다. 저는 그 집에 맡겨졌고, 어쨌거나 학교가 바로 옆이었기 때문에 조회 종이 울리는 것을 듣고 난 후 달려서 등교하는 꽤나 나태한 중학생이었지만, 제 익살 덕분에 항상 반의 인기를 독차지했습니다.

태어나서 처음으로 타향에 나온 제게 그곳이 태어난 고향보다도 훨씬 마음 편한 장소로 느껴졌습니다. 당시 익살도 몸에 익어서 사람을 속이는 데 예전만큼 괴로워할 필요가 없어졌기 때문이라고 해석할 수도 있지만, 그보다는 천재나 신의 아이인 예수라고 해도 육친과 타인, 고향과 타향 사이에는 연기하기 위한 난이도의 차이가 있는 건 아닐까요? 배우에게 가장 연기하기 어려운 장소는 고향에 있는 극장일 테고 거기다 가족 친지가 전부 앉아 있는 곳이라면 아무리 명배우라고 해도 연기를 생각할 만한 상황은 아니지 않을까요? 하지만 저는 계속 연기했고 큰 성공을 거두었습니다. 그 정도로 범상치 않은 자가 타향에 나와서, 만에 하나라도 제대로 연기하지 못하는 일은 없었던 것입니다.

인간에 대한 저의 공포는 예전보다 더 심해지거나 줄어드는 일 없이 가슴속에서 격렬하게 꿈틀대고 있었지만, 연기는 더욱 능숙해져 가며 교실에서 반 친구들을 웃겼고, 선생님까지 "이 반은 오바大庭 요조만 없으면 정말 좋은 반이 될 것 같다."라고 말로는 한탄하면서 손으로는 입을 막고 웃었습니다. 저는 학교에 배속된 천둥같이 커다란 목소리를 내는 장교마저도 너무도 쉽게 웃길 수 있었습니다.

이미 제 정체를 완전히 은폐하지 않았나 싶어서 마음을 놓으려던 찰나, 저는 생각지도 못하게 의표를 찔렸습니다. 그는 반에서 가장 빈약한 몸에 얼굴도 푸석거리고, 아마 부모에게 물려받은 것 같은데 쇼토쿠 태자^{聖德太子}의 것처럼 낡아빠진 긴 소매 상의를 입고 있었으며, 공부도 잘하지 못하고 교련이나 체조는 항상 견학하고 있던 백치 같은 학생이었습니다. 이런 저도 그 학생까지 경계할 필요가 없다고 생각했던 것입니다.

체조 시간에 그 학생(성은 기억나지 않지만 이름은 다케이치^{竹一}였던 것 같습니다.), 다케이치는 평소처럼 견학하고 우리는 철봉에서 연습했습니다. 저는 일부러 가능한 한 진지한 얼굴로 기합을 넣으며 철봉을 향해 뛰었는데, 멀리뛰기를 하는 것처럼 앞으로 뛰어올라 모래밭에 엉덩방아를 찧었습니다. 모두 계획된 실패였습니다. 곧이어 다들 크게 웃었고 저도 쓴웃음을 지으며 바지에 묻은 모래를 털고 있었는데, 언제 왔는지 다케이치가 제 등을 찌르며 낮은 목소리로 이렇게 중얼거렸습니다.

"가짜, 가짜."

저는 전율하였습니다. 사람들이 있는 곳에서 일부러 실패했다는 것을 다케이치가 간파할 줄은 전혀 생각해보지 않았던 것입니다. 순간 세상이 지옥의 업화로 뒤덮여 불타오르는 것을 목도하는 기분으로 비명을 내지르며 미쳐버릴 것 같은 마음을 필사적으로 억눌렀습니다.

그때부터 하루하루가 불안과 공포의 연속.

겉으로는 어김없이 서글픈 광대를 연기하고 모두에게 웃음을 선사하였으나, 저도 모르게 묵직한 한숨을 내쉬며 뭘 해도 다케이치가 전부 꿰뚫어 볼 것이고 얼마 안 있어 남들에게 퍼트리고 다닐 것이 분명하다고 생각하면, 이마에 송골송골 땀이 맺히며 미친 사람처럼 괴상한 눈초리로 하릴없이 주변을 두리번거렸습니다. 가능하다면 아침 점심 저녁, 밤낮을 가리지 않고 다케이치 옆에 붙어 그가 비밀을 누설하시 않도록 감시하고 싶은 마음이었습니다. 그리고 제가 그에게 붙어있는 동안 제 익살은 '가짜'가 아니라 진짜였다고 각인시킬 수 있도록 온갖 노력을 기울이며, '이왕 이렇게 된 거 그와 둘도 없는 친구가 되고 싶다. 만일 이 모든 게 불가능하다면 이제 그의 죽음을 기도할 수밖에 없다.'라고 골몰히 생각하기도 했습니다. 하지만 이런 저도 그를 죽이려는 마음까지는 들지 않았습니다. 그때까지 살아오면서 저는 살해당하고 싶다고 바란 적은 몇 번 있었지만 남을 죽이고 싶다고 생각한 적은 단 한 번도 없습니다. 그것은 두렵기 짝이 없는 상대방을 도리어 행복하게 만드는 꼴이라고 생각했기 때문입니다.

저는 그를 회유하기 위해 일단 가짜 크리스천처럼 얼굴에 '친절한' 미소를 띠고 목을 삼십 도 정도 왼쪽으로 기울이며 그의 작은 어깨를 가볍게 감싸 안고서, 고양이 울음소리와 닮은 달콤하고 감미로운 목소리로 제가 사는 집에 놀러 오라고 여러 번 제안했지만, 그는 매번 멍한 눈초리로 묵묵부답이었습니다. 하지만 어느 날 방과 후, 아마도 초여름 무렵이었을 것입니다. 소나기가 하얗게 내리고 있어서 학생들이 귀가하지 못하고 있는 듯했는데, 저는 집이 바로 옆이라서 아무렇지도 않게 밖으로 뛰어 나가려고 하다가 문득 신발장 옆에서 다케이치가 우두커니 서 있는 것을 보고, "가자, 우산 빌려줄게."라고 말하며 머뭇거리는 다케이치의 손을 잡고 소나기 속을 함께 달려 집에 도착해서는, 두 사람의 상의를 아주머니께 말려달라고 부탁하고 다케이치를 제 방으로 끌어들이는 데 성공했습니다.

그 집에는 오십 넘은 아주머니와 삼십 정도에 안경을 쓰고 병약한 듯하며 키가 큰, 저보다 나이 많은 첫째 딸 (그녀는 한 번 시집을 갔다가 이혼한 사람이었습니다. 저는 그 사람을 이곳 사람늘이 부르는 것처럼 아네사라고 불렀습니다.) 그리고 언니와 다르게 키가 작으며 얼굴이 동그랗고 최근 학교를 갓 졸업한 셋쨩, 이렇게 3인 가족이었고 아래층 가게에서 문방구와 운동용품을 조금 팔고 있었는데, 주된 수입은 타계한 남편이 남기고 간 연립 대여섯 채의 월세였습니다.

"귀가 아파."

다케이치는 서 있는 상태로 그렇게 말했습니다.

"비를 맞았더니 아파진 것 같아."

제가 한 번 보니 양쪽 귀에서 액체가 나왔는데 지금 당장에라도 고름이 귓바퀴에서 흘러나오려고 했습니다.

"이건 위험한데. 아프겠어."

저는 과장되게 놀라며,

"비 오는 곳으로 끌어내서 미안해."

라고 여자 같은 말투로 '상냥하게' 사과하고는 아래로 내려가 탈지면과 알코올을 들고 와서 제 무릎을 베개 삼아 다케이치를 눕히고 조심스럽게 귀를 청소해주었습니다. 다케이치조차 이것이 위선적이고 나쁜 계략이라는 것을 눈치채지 못한 듯,

"분명 여자들은 네게 반하겠어."

라고 제 무릎을 베고 누워 멍청한 인사치레를 했을 정도입니다.

하지만 그것이야말로 그 다케이치조차 의식하지 못할 만큼 두렵기 짝이 없는 악마의 예언 그 자체였다는 걸 후일이 되어서야 뼈저리게 느끼게 됩니다. 누구에게 반했다느니 누구를 반하게 만들었다느니 하는 말은 너무도 천박하고 가벼우며 거드름을 피우는 느낌이었고, 아무리 '엄숙'한 자리라고 할지라도 이 말이 한 번이라도 출현하는 순간 순식간에 우울의 전당이 무너지며 밋밋해지고 마는 기분이 들었는데, '반해버린 괴로움' 같은 흔해빠진 말이 아닌 '사랑에 빠지고 만 불안'이라고 문학 용어를

사용하면 우울의 전당을 무너뜨리지는 않는 듯하니, 참으로 기묘한 일이 아닐 수 없습니다.

제가 귓바퀴 고름을 처리하고 다케이치가 반하겠다는 바보 같은 인사치레를 했을 때, 저는 그저 빨개진 얼굴로 웃으며 아무 말도 하지 않았지만 실은 어렴풋이 짐작 가는 바가 있긴 했습니다. 하지만 '반한다'라고 하는 야만적인 말에 의해 생겨난 우쭐대는 분위기에 대해, '그런 말을 들으니 짐작 가는 바가 있다'라고 쓰는 것은 라쿠고에 나오는 젊은 도련님의 대사만도 못할 정도로 어리석은 느낌을 주었고, 확실히 저는 그런 가볍고 우쭐거리는 마음으로 '짐작 가는 바가 있던' 것은 아니었습니다.

제게 인간 여성은 남성보다도 몇 배나 더 난해했습니다. 우리 가족은 남자보다 여자가 더 많았고 친척 중에도 여자아이가 많았는데, 그중에 방금 말한 집에서 일하던 '범죄자'를 포함하여 저는 어렸을 때부터 여자들하고

만 놀면서 성장했다고 해도 과언이 아니지만, 사실 살얼음판을 밟는 심정으로 그들과 어울렸던 것입니다. 대부분 전혀 헤아릴 수 없었습니다. 오리무중 그 자체에 가끔 호랑이 꼬리를 밟는 실패를 저질러서 엄청난 중상을 입었는데, 그게 또 남성에게 받는 철퇴와 달라서 내출혈처럼 극도로 불쾌하게 내부로 퍼져 쉽사리 치유되기 힘든 상처가 되었습니다.

여자는 끌어당겼다가 밀어낸다. 혹은 여자는 남 앞에서는 업신여기고 매몰차게 대하지만 아무도 없으면 꽉 껴안는다. 여자는 죽은 것처럼 깊이 잠든다. 여자는 잠들기 위해 사는 게 아닐까? 그 외에도 여자에 대한 여러 가지 관찰을 이미 유년 시절부터 해왔는데, 같은 인간이면서도 남자와 전혀 다른 생물 같았고 그런 불가해하고 방심할 수 없는 생명체가 이상하게도 절 상대해주었습니다. 저 같은 경우 '반했다'라는 말이나 '호감이 간다'라

는 말과 전혀 어울리지 않았고, 어쩌다 보니 '상대한다'
라고 하는 편이 그나마 제 현재 상황에 대한 설명으로
적합할지도 모르겠습니다.

여자는 남자보다 익살을 더 마음에 들어 하는 것 같았
습니다. 제가 광대를 연기하면 남자는 끝없이 껄껄거리
며 웃지 않았고 저 역시 남자를 상대로 도취하여 광대를
열연하면 실패한다는 사실을 알고 있었기에 반드시 적당
한 선에서 끝내도록 했지만, 여자는 한계를 모르고 끝도
없이 제 익살을 요구했고 그런 끝없는 앙코르에 응한 결
과 저는 녹초가 되고 말았습니다. 정말이지 잘 웃습니다.
아무래도 여자는 남자보다 더 많은 쾌락을 받아들이는
게 가능한 모양입니다.

제가 중학생 때 얹혀살던 집의 두 딸은 틈만 나면 제
방에 찾아왔고, 저는 그때마다 굉장히 놀라 흠칫했으며
항상 두려워했는데,

"공부 중?"

"아뇨."

라고 웃으며 책을 덮고,

"오늘 말이야, 학교에서 곤보라고 하는 지리 선생님이."

라며 입에서 술술 흘러나오는 건 마음에도 없는 우스갯소리였습니다.

"요우는 안경 한번 써 보는 게 어때?"

어느 날 밤 둘째 딸인 셋쨩이 아네사와 함께 제 방에 놀러 와서는 제게 광대 연기를 한껏 하게 만든 후에 그런 말을 꺼냈습니다.

"갑자기 왜?"

"아네사 안경 빌려서 일단 한번 써 보라니까?"

언제나 이렇게 난폭한 명령 어투를 구사했습니다. 광대는 짐짓코 아네사의 안경을 썼습니다. 그 순간 두 여자는 배꼽을 잡고 웃어댔습니다.

"딱이다. 로이드랑 똑같아."

당시 해럴드 로이드라고 하는 외국 영화의 희극배우가 인기였습니다.

저는 자리에서 일어나서 한 손을 올리고,

"제군."

이라고 말하며,

"이번에 팬 여러분께, ……."

라고 시험 삼아 인사하는 걸 흉내 내어 그들을 더욱 폭소하게 만든 후, 로이드의 영화가 그 고장에서 상영될 때마다 보러 가서 그의 표정 따위를 몰래 연구했습니다.

그리고 어느 가을밤, 저는 누워서 책을 읽고 있었는데 아네사가 새처럼 날렵하게 방으로 들어와서는 갑자기 제 이불 위로 쓰러져 울더니,

"요우가 날 도와주겠지. 그렇지. 이런 집, 같이 나가버

리는 편이 낫겠어. 도와줄래? 도와줘."

같은 격렬한 말을 하더니 다시 울기 시작하는 것이었습니다. 하지만 여자가 제게 이런 태도를 보이는 게 처음이 아니었기 때문에 아네사의 과격한 말에도 그다지 놀라지 않았고, 도리어 진부하고 뻔해서 흥이 깨진 기분으로 살며시 이불에서 나와 책상 위에 있던 감을 까서 한쪽을 아네사에게 건넸습니다. 그러자 아네사는 흐느껴 울면서도 감을 먹으며,

"재미있는 책 같은 거 없어? 빌려줘."

라고 말했습니다.

저는 나츠메 소세키의 '나는 고양이로소이다'라는 책을 책장에서 골라주었습니다.

"잘 먹었어."

아네사는 겸연쩍은 듯이 웃으며 방에서 나갔는데, 아네사도 그렇지만 여사들은 도대체 무슨 기분으로 살고

있는가에 대해 생각하는 건 제게 지렁이의 마음을 탐색하는 것보다 성가시고 짜증스러우며 기분 나쁜 것처럼 느껴졌습니다. 저는 그저 여자가 이렇게 갑자기 울 때 단 것을 주면 그걸 먹고 기분이 나아진다는 것을 어렸을 적 경험으로 알고 있었습니다.

그리고 둘째 딸인 셋짱은 자기 친구까지 제 방에 데려왔기에 제가 평소처럼 공평하게 그들을 웃겼는데, 그 친구가 돌아가면 셋짱은 반드시 친구의 험담을 늘어놓았습니다. 저 사람은 불량소녀니까 조심하라고 항상 똑같은 소리를 반복했습니다. 그러면 이렇게 데려오지 않으면 될 텐데, 덕분에 제 방을 찾아오는 손님 대부분이 '여자'가 되고 말았던 것입니다.

하지만 현실은 다케이치가 인사치레로 말한 '반한다'라는 것과는 거리가 멀었습니다. 다시 말해, 저는 일본 동북지방의 해럴드 로이드에 불과했던 것입니다. 다케이치의 엉터리 인사치레가 불길한 예언으로서 생생하게 살아남아 불길한 모습을 드러낸 것은 그로부터 몇 년이 지난 후였습니다.

또한 다케이치는 제게 중대한 선물을 주었습니다.

"괴물 그림이야."

언제였는지 다케이치가 제 방에 놀러 왔을 때, 가지고 있던 원색판 권두화 한 장을 자랑하듯이 제게 보여주더니 그렇게 설명했습니다.

아차 싶었습니다. 그 순간 제가 추락해가는 길이 결정된 것 같은, 나중이 되어서야 그런 기분이 들었습니다. 저는 알고 있었습니다. 그건 고흐의 자화상에 불과하다는 사실을 말입니다. 우리의 소년 시절에는 프랑스 인상파 그림이 상당히 유행했고, 서양화를 감상하려면 가장 먼저 그런 그림으로 시작했습니다. 고흐, 고갱, 세잔, 르누아르 같은 사람의 그림은 시골 중학생이라도 대부분 사진판으로 알고 있었습니다. 저 같은 경우도 고흐의 원색판을 상당히 많이 보았고 참신한 터치감이나 선명한 색채감에서 멋을 느끼고는 있었지만 괴물이라는 건 한 번도 생각해 본 적이 없었습니다.

"그럼 이런 건 어때. 이것도 괴물인가?"

저는 책장에서 모딜리아니_{Amedeo Modigliani}의 화집을 꺼내 붉은 구리처럼 그을린 피부색에 벌거벗고 있는 여성의 그림을 다케이치에게 보여주었습니다.

"장난 아닌데?"

다케이치는 눈을 동그랗게 뜨고 감탄했습니다.

"지옥의 말 같아."

"역시 괴물인가."

"나도 이런 괴물 그림을 그리고 싶어."

인간을 심하게 두려워하는 사람들은 도리어 두려운 요괴를 좀 더 확실하게 두 눈으로 확인하길 바라게 되는 심리, 신경이 예민하며 쉽게 두려움을 느끼는 사람일수록 폭풍우가 더욱 거세지길 바라는 심리. 아아, 이런 화가의 무리는 인간이라는 괴물에게 상처 입고 위협당한 끝에 결국 환영을 믿게 되고, 대낮의 자연 속에서 괴물을 여실하게 목격한 것이다. 게다가 그들은 그것을 익살 따위로 얼버무리지 않고 보이는 그대로 표현하고자 노력했다. 다케이치가 말한 대로 명실공히 '괴물 그림'을 그리고 만 것이다. 이곳에 미래의 제 동료가 있다며 저는 눈물이 나올 정도로 흥분하여,

"나도 그릴래. 괴물 그림을 그릴 거야. 지옥마를 그리고 말 거야."

라고 말하며, 가능한 한 목소리를 낮추며 다케이치에게 말했습니다.

저는 초등학생 때부터 그림을 그리거나 보는 걸 좋아했습니다. 아시만 세가 그린 그림은 제 작문보다 주변

평판이 좋지 않았습니다. 저는 애초에 인간의 말을 한마디도 믿지 않았기에 작문 같은 건 단순히 익살스러운 인사 같은 것이었고, 초등학교와 중학교 선생님들을 미치도록 기뻐하게 만들어도 저로서는 전혀 재미있지도 않았지만, 그림만은(만화 같은 건 다르지만) 햇병아리였으나 어떤 대상에 대한 표현에 상당히 애를 쓰고 있었습니다. 학교 미술 시간에 배우는 모범답안 같은 건 재미가 없었고 선생님의 그림 솜씨는 최악이라서 여러 가지 엉터리 표현법을 스스로 고안해서 시험해 볼 수밖에 없었습니다. 중학교에 입학한 저는 유화 도구도 전부 갖추고 있었지만 아무리 터치 방식을 인상파 풍으로 하려 해도 제가 그린 것은 마치 치요가미千代紙[4] 세공처럼 밋밋해서 아무래도 제대로 될 것 같지 않았습니다. 하지만 다케이치의 말에 의해 그때까지 그림에 대한 제 각오가 잘못되어 있음을 깨달았습니다. 아름답다고 느낀 것을 있는 그대로 아름답게 표현하려 했던 안이함과 어리석음. 제 우상들은 아무것도 아닌 것을 주관적으로 아름답게 창조하거나 추한 것에 구역질하면서도 그것에 대한 흥미를 빠짐없이 그대로 표현하는 기쁨에 젖어 있었습니다. 다시 말해, 타인의 평가에 대해 조금도 신경 쓰지 않는 화법을 담은 원시적인 비전서를 다케이치에게 넘겨받아, 제 방에 찾아오는 여자 손님들 모르게 조금씩 자화상 제작에 들어갔습니다.

저까지 섬뜩해질 정도로 음산한 그림이 완성되었습니다. 하지만 이것이야말로 가슴속 깊은 곳에 감추고 또 감추고 있던 제 정체라고 생각했고, 겉으로는 밝게 웃으며 사람들을 웃기고 있었지만 사실 자신은 이런 음울한 마음을 지니고 있다고 아무도 모르게 납득하면서도, 다케이치 말고는 그 누구에게도 이 그림을 보여주지 않았습니다. 제 익살 싶은 곳에 숨겨진 음산함을 간파당했다고 갑자기 쪼잔하게 경계하는 것도 달갑지 않았고, 이게 자신의 정체인 줄도 모르고 새로운 형태의 익살로 취급당하여 대폭소의 씨앗이 될지도 모르겠다며 걱정이 되기도 했는데, 그건 무엇보다 괴로운 일이었기에 그 그림을 곧바로 벽장 깊숙이 넣어버렸습니다.

그리고 저는 학교 미술 시간에도 이 '괴물식 수법'은 드러내지 않고 평소대로 아름다운 것을 아름답게 그리는 평범한 터치 방식으로 그렸습니다.

저는 예전부터 상처받기 쉬운 성격을 다케이치에게만 그대로 드러냈고, 이번 자화상 역시 안심하고 그에게 보여줬더니 칭찬을 많이 해주길래, 나중에 괴물 그림을 두세 장 더 그려서 또 하나의,

"너는 훌륭한 화가가 될 거야."

라는 예언을 얻어냈습니다.

여자가 반할 거라는 예언과 훌륭한 화가가 될 거라는

예언, 바보 다케이치가 제 이마에 이 두 개의 예언을 새겼고 이윽고 저는 도쿄에 가게 되었습니다.

저는 미술학교에 들어가고 싶었지만 아버지는 예전부터 저를 고등학교에 입학시켜 공무원이 됐으면 한다고 말했기 때문에 말대답 하나 못하는 성격이었던 저는 맥없이 그에 따랐습니다. 저 역시 벚꽃과 바다의 중학교에 상당히 질렸고, 4학년이 되면 시험을 보라는 말을 들었기 때문에 5학년으로 진급하지 않고 4학년까지 다니다가 도쿄에 있는 고등학교에 합격하여 곧바로 기숙사 생활을 시작했습니다. 하지만 불결함과 난폭함에 압도당하여 익살은커녕 의사에게 폐침윤[5]이라는 진단을 받고, 기숙사에서 나와 우에노 사쿠라기초에 있는 아버지 별장에 가게 되었습니다. 저는 아무래도 단체생활 자체가 맞지 않았습니다. 그리고 청춘의 감격이나 젊은이의 긍지라는 말을 들으면 오한이 들었고, 하이스쿨 스피릿High School

Spirit이라는 건 도무지 견딜 수가 없었습니다. 교실이나 기숙사도 왜곡된 성욕의 쓰레기장 같다는 기분이 들어서, 완벽에 가까운 저의 익살도 거기에서는 무용지물이었습니다.

아버지는 의회에 가지 않으면 한 달에 일주일인가 이 주일 정도를 제외하고 그 집에 없었기 때문에, 아버지가 집을 비웠을 때는 상당히 넓은 그 집에 별장지기인 노부부와 저, 이렇게 셋밖에 없었습니다. 저는 가끔 학교를 쉬었고 그렇다고 도쿄를 구경할 마음도 들지 않아(결국 메이지진구明治神宮나 구스노키 마사시게楠正成 동상, 센가쿠지泉岳寺 47인의 사무라이 묘도 보지 못할 것 같습니다.) 집에서 온종일 책을 읽거나 그림을 그렸습니다. 아버지가 오면 저는 매일 아침 서둘러 등교했지만, 혼고本郷 센다기초千駄木町에 있는 서양화가 야스다 신타로安田新太郎 씨가 운영하는 미술학원에 가서 세 시간이고 네 시간이고 데생 연습을 한 적도 있습니다. 고등학교 기숙사에서 나왔더니 학교 수업을 나가도 마치 청강생처럼 특별한 위치에 있는 것 같았습니다. 그건 제 뒤틀린 생각인지도 모르겠지만 어쩐지 스스로 떳떳하지 못한 탓에 학교에 가는 것이 더욱 두려워졌습니다. 저는 초, 중, 고를 거쳤지만 끝끝내 애교심을 이해하지 못했습니다. 교가 따위를 외우려고 한 적도 전혀 없습니다.

이윽고 미술학원에서 한 미술학도에 의해 술과 담배 그리고 매춘부와 전당포, 좌익사상의 존재를 알게 되었습니다. 묘한 조합이지만 사실입니다.

그 미술학도는 호리키 마사오堀木正雄라고 하며 도쿄 시타마치[6]에서 태어났고 저보다 여섯 살 많았으며, 사립 미술학교를 졸업했으나 집에 아틀리에가 없어서 이 미술학원에 다니며 서양화 공부를 하고 있다고 했습니다.

"5엔만 빌려줘."

단순히 얼굴만 아는 사이였고 그때까지 한마디도 해본 적이 없었습니다. 저는 당황하며 5엔을 내밀었습니다.

"좋았어, 마시자. 내가 살 테니까. 옳지, 착한 것."

단호히 거절하지 못하고 미술학원 근처 호라이쵸蓬莱町에 있는 카페로 끌려가면서 교우 관계가 시작되었습니다.

"전부터 네가 신경 쓰였어. 그거 있잖아, 그 수줍은 미소, 그게 가망 있는 예술가 특유의 표정이거든. 친해진 기념으로 건배! 기누 씨, 이 녀석 미남이지? 반하면 안 돼. 이 녀석이 학원에 온 탓에 아쉽게도 난 두 번째로 밀려났어."

호리키는 옅은 검은색 피부와 단정한 얼굴에 미술학도로는 드물게도 반듯하게 정장을 차려입었는데, 넥타이 취향도 수수했고 머리도 포마드pomade를 발라서 반으로 가르마를 냈습니다.

저는 익숙하지 않은 장소기도 하고 그저 너무 두려워

서 팔짱을 꼈다 풀었다 하며 수줍은 미소만 짓고 있었는
데, 맥주를 두세 잔 마시는 사이에 묘하게 고삐가 풀린
듯 해방감을 느꼈습니다.

"난 미술학교에 가려고 했는데…….”

"응? 재미없어. 그런 곳은 정말 재미없다고. 학교는
재미없지. 우리 교수들은 말하지, 자연 속에 있으리! 자
연에 대한 파토스pathos!”

하지만 저는 그가 하는 말이 조금도 와닿지 않았습니
다. '바보 같은 사람이야, 그림 솜씨도 형편없겠지, 그래
도 함께 놀기에는 좋을지도 몰라.' 하고 생각했습니다.
다시 말해, 저는 그때 태어나서 처음으로 진정한 도시
건달을 만난 것입니다. 형태는 다를지언정 세상살이에서
완전히 유리되어 떠돌고 있다는 점만은 동류임이 분명했
습니다. 그리고 그는 익살을 의식 없이 실행하는 데다
익살의 비참함을 선혀 모르는 것이 본질적으로 제 성향

과 다른 점이었습니다.

'그저 놀 뿐이야, 놀 상대로 어울리고 있을 뿐이야.'라며 끊임없이 그를 경멸했고, 때로는 그와 친구라는 것을 창피하다고 생각하면서도 그와 어울려 다니는 사이에 결국 이 남자도 저에 대해 파악하게 되었습니다.

하지만 처음에는 그를 호감형, 세상에 드문 호감형이라고 단정 짓고 인간을 두려워하는 이런 저조차 완전히 방심하며 도쿄를 안내해줄 좋은 사람이 생겼다는 식으로 생각했습니다. 사실 저는 혼자서 전차에 타면 차장이 무서웠고, 가부키자歌舞伎座에 들어가고 싶어도 진홍색 융단이 깔린 정면 현관 계단 양 옆에 늘어서 있는 안내원들이 꺼려졌으며, 레스토랑에 들어가면 제 등 뒤에 가만히 서서 접시가 비는 걸 기다리고 있는 급사가 두려웠습니다. 특히 계산을 할 때, 아아 어색하기 짝이 없는 저의 손놀림. 저는 물건을 사고 돈을 낼 때 인색해서가 아니라 엄청난 긴장과 겸연쩍음, 불안, 공포로 인해 현기증이 나고 세상이 새까맣게 변하며 반쯤 광란 상태가 되어, 값을 깎기는커녕 잔돈을 받는 것도 잊어버릴 뿐 아니라 구매한 물건을 들고 가는 것마저 잊어버린 적이 한두 번이 아니었기에 혼자서는 절대로 도쿄의 거리를 활보하지 못했고, 그로 인해 피치 못하게 온종일 집안에서 빈둥거렸다는 속 사정이 있었습니다.

그랬던 것이 호리키에게 지갑을 넘기고 같이 걷고 있으면 호리키가 제대로 가격을 깎는 건 물론이고 능숙하다고 할까요, 적은 돈으로 최대의 효과를 내는 식으로 돈을 썼습니다. 또한 비싼 택시는 멀리하고 열차, 버스, 증기선 같은 것을 각각 용도별로 구분하여, 최단 시간에 목적지에 도착하는 수완을 발휘하며 매춘부에게 갔다가 아침에 돌아오는 도중에 뭐라 뭐라 하는 요정料亭에 들러 아침 목욕을 하고, 불누부로 가볍게 술을 한 잔 걸치는 것이 돈은 적게 들어도 사치를 부리는 것 같다는 사실을 경험하게 해주거나, 그 외에도 노점에서 고기덮밥에 꼬치구이를 싼값에 주문해서 영양이 풍부하다는 둥 설명을 하더니, 술이 빨리 도는 건 전기 브랜디[7]를 따라올 게 없다고 장담한다며, 아무튼 계산에 대해 제게 어떠한 불안이나 공포를 가져다준 적이 없었습니다.

더군다나 호리키와 어울리며 안심할 수 있던 것은 호리키가 듣는 사람의 생각 같은 전 전혀 신경 쓰지 않고, 이른바 파토스를 분출하는 그대로(어쩌면 정열이란 상대방의 입장을 무시하는 것일지도 모르지만) 온종일 쓰잘데기 없는 말을 하였기에, 간혹 둘이서 걷다가 지쳐 어색한 침묵에 휩싸일 위험이 전혀 없었던 것입니다. 사람을 만나서 두렵기 짝이 없는 침묵이 생기는 것을 경계하려고 본디 입이 무거운 제가 필사적으로 익살을 떨었던 것인데, 이제 호리키 이 바보가 멋모르고 자진해서 광대

역할을 해주었기에 저는 대답도 제대로 하지 않고 그저 흘려들으며 때때로 추임새를 집어넣으며 웃고 있기만 하면 됐습니다.

술, 담배, 매춘부, 이 모두는 인간에 대한 공포를 한순간이나마 떨쳐낼 수 있는 좋은 수단이라는 것을 어느새 터득하게 되었습니다. 그 수단을 얻기 위해서라면 가지고 있는 모든 것을 팔아버린대도 후회가 없다는 기분마저 들었습니다.

제게 매춘부란 인간도 여성도 아닌 백치나 미친 사람으로 보였고, 도리어 그들의 품속에서 완벽하게 안심하며 푹 잠들 수 있었습니다. 다들 슬플 정도로 욕구라고 할 것이 사실 없었습니다. 그리고 제게 동족의 친밀감이라도 느끼고 있었던 건지, 언제나 매춘부들은 거북스럽지 않을 정도로 자연스러운 호의를 내비쳤습니다. 타산적이지 않고 강제성 없는 호의, 두 번 다시 안 올지도 모르는 사람을 향한 호의, 저는 백치인지 미친 사람인지 알 수 없는 매춘부에게서 성모 마리아의 후광을 두 눈으로 똑똑히 확인했던 밤도 있습니다.

하지만 인간에 대한 공포에서 벗어나 어중간한 하룻밤의 안정을 원하며 그곳에 가서 저와 '동류'인 매춘부들과 노는 사이에 어느새 무의식적으로, 어쩌면 꺼림칙한 분위기를 항상 두르고 다니는 모습으로, 그건 저도 전혀 생각지 못한 이른바 '덤으로 딸려온 부록'이었는데 서서히 그 '부록'이 선명하게 표면으로 떠올랐고, 호리키에게 그런 지적을 받았을 때 깜짝 놀라며 기분이 상했습니다. 주위에서 흔히 하는 말을 빌리자면 저는 매춘부를 통해 여자를 배운 데다 최근에는 꽤나 능숙해졌습니다. 매춘부를 통해 여자를 배우는 것이 가장 어렵고 그만큼 효과가 좋다는 소리를 들었는데, 이미 저는 '여자 킬러'라는 향기를 둘렀고, 매춘부뿐만 아니라 모든 여성이 본능적

으로 그 냄새에 이끌려 다가온다고 하는 저속하고 불명

예스러운 분위기를 '덤으로 딸려온 부록'처럼 받았으며,

그것이 안식을 바라는 마음보다 훨씬 더 두드러져 보였

다고 합니다.

　호리키는 그것을 반쯤 인사치레로 말했겠지만 갑갑하

게도 제게 짐작 가는 바가 있었습니다. 이를테면 찻집

여자에게 유치한 편지를 받은 기억도 있었고, 사쿠라기

초에 스무 살 남짓 된 이웃집 장군의 딸이 매일 아침 제

가 등교할 시각에 이렇다 할 용건도 없으면서 옅은 화장

을 하고 집 문을 들락날락했으며, 소고기를 먹으러 갔을

때 제가 말하지 않아도 그곳 여종업원이, ……그리고 단

골이었던 담배 가게 처녀가 건네준 담뱃갑 속에, ……또

가부키를 보러 가서 옆에 앉은 사람에게, ……그리고 심

야 시내 열차에서 취해 잠들어 있는 제게, ……또 생각지

도 않게 고향 친척에게 결심을 단단히 한 편지가 왔고,

……또 누군지 모르는 여자가 외출 중일 때 직접 만든 것 같은 인형을, ……제가 극도로 소극적이었기에 어느 것 하나 단편적이거나 그대로 끝, 그 이상의 진전은 전혀 없었지만 어딘지 모르게 여자에게 환상을 품게 하는 분위기를 두르고 있다는 건 자랑을 늘어놓거나 주책을 떠는 적당한 농담이 아니라 부정할 수 없는 사실이었습니다. 저는 그것에 대해 호리키 따위에게 지적받아 굴욕과도 닮은 쓸쓸함을 느끼는 동시에 매춘부와 노는 일에도 흥이 식었습니다.

그리고 호리키는 허세로 가득한 모더니티Modernity에 기인하여(호리키의 경우, 다른 이유로는 생각할 수가 없는데) 어느 날, 저를 공산주의 독서 모임이라는(R.S로 부르고 있었던가, 기억이 명확하지 않습니다.) 비밀 연구 모임에 데려갔습니다. 호리키 같은 인물에게 공산주의 비밀 회합은 '도쿄 안내' 중 하나였던 걸지도 모르겠습

니다. 아무튼 저는 이른바 '동지'에게 소개되었고, 팸플
릿을 하나 강매당한 후 상석에 앉은 추한 청년에게 마르
크스 경제학 강의를 들었습니다. 하지만 그것은 이미 알
고 있는 것처럼 생각되었습니다. 그건 아마 틀림없을 테
지만 인간의 마음에는 좀 더 영문을 알 수 없는 무서운
것이 있습니다. 욕구라고 해도 부족하고, 베니티Vanity[8]라
고 해도 부족하며 색色과 욕欲이라고 두 글자를 늘어놓아
도 부족한, 저 역시 잘은 모르지만 인간 세상 깊숙한 곳
에 경제뿐만 아니라 괴상한 괴담과도 비슷한 게 있다는
기분이 들었고, 마음 깊이 그 괴담을 두려워하고 있던
저는 물이 높은 곳에서 낮은 곳으로 흘러가듯 자연스럽
게 유물론을 긍정하면서도, 그에 의해 인간에 대한 공포
에서 해방되어 푸른 잎을 향하며 희망찬 기쁨을 느낄 수
는 없었습니다. 하지만 저는 한 번도 빠지지 않고
R.S(이렇게 기억하고 있지만 다를지도 모릅니다.)에 출

석하였고, '동지'들이 중대한 일이라며 이상하리만치 딱딱하게 굳은 얼굴로 1 더하기 1은 2처럼 초보적 계산 같은 이론 연구에 골몰하고 있는 것이 너무도 우스꽝스러웠으며, 제 익살로 회합 분위기를 편안하게 만드는 것에 힘썼던 결과인지 점차 연구 모임의 갑갑한 분위기도 풀어지며, 저는 회합에 없어서는 안 될 인기인이라는 상태였던 것 같습니다. 단순해 보이는 사람들은 절 그들과 똑같이 단순하고 낙천적인 익살꾼 '동지' 정도로 생각하고 있던 걸지도 모르겠지만, 만일 그렇다면 저는 하나부터 열까지 그 사람들을 기만하고 있던 것이 됩니다. 저는 동지가 아니었습니다. 하지만 항상 회합에는 빠짐없이 출석하고 사람들에게 익살을 서비스했습니다.

좋아했기 때문입니다. 그 사람들이 마음에 들었기 때문입니다. 하지만 그것이 반드시 마르크스에 의해 생긴 친애하는 감정은 아니었습니다.

비합법. 어쩐지 그것이 즐거웠습니다. 이상하게 마음 편했습니다. 세상 속 합법이 되레 두려웠고(그것에는 끝 모를 힘이 감지되었습니다.) 그런 장치가 불가해했으며, 냉기가 스미는 창문 없는 그 방에는 안착하지 못하고, 밖이 비합법의 바다라고 할지라도 그리로 뛰어들어 헤엄 치다가 이윽고 죽음에 이르는 편이 제겐 도리어 마음 편한 것 같았습니다.

음울한 사람Dropout[9]이라는 말이 있습니다. 인간 세상에 서는 비참한 패배자, 악덕한 사람을 가리키는 말인 것 같은데 저는 저 자신이 천성적으로 음울한 사람인 것 같았고, 세상에서 음울한 놈으로 불리는 사람과 만나면 반 드시 친근감이 들었습니다. 그리고 그런 제 '친근감'은 황홀해질 정도로 부드러운 마음이었습니다.

범인 의식이라는 말도 있습니다. 저는 인간 세상에서 평생 그 의식으로 괴로워하면서도 그건 자신의 조강지처처럼 좋은 반려이며 녀석과 둘이서 울적하게 놀고 시시덕거리는 것도 제가 사는 자세 중 하나였을지도 모릅니다. 또한 속되게 '정강이에 상처가 있는 사람[10]'이라는 말도 있는 것 같은데 그 상처는 제가 갓난아기였을 때부터 자연히 한쪽 정강이에 드러났고, 장성하며 치유되기는커녕 끊임없이 깊어져 가다가 결국 뼛속까지 도달하여 밤마다 고통은 천변만화千變萬化의 지옥이라고 하면서도 (이것은 꽤나 기묘한 표현이지만) 상처는 점차 자신의 혈육보다도 친근해지고 그 아픔은 상처의 살아 있는 감정 혹은 애정의 속삭임인 양 여겨지는 그런 남자에게, 지하 운동 단체의 분위기가 이상하리만치 안심되고 마음 편해지며, 운동의 본래 목적보다도 그 기질이 제게 맞는 느낌이었습니다. 호리키는 그저 바보의 허세에 불과했고 저를 소개하러 한 번 그 회합에 갔던 것을 끝으로, 마르크스주의자는 생산 면의 연구와 함께 소비 면의 시찰도 필요하다는 둥 헛소리를 하며 다시는 회합에 나오지 않았고, 여하튼 절 소비 면의 시찰로만 꾀어내고 싶어 했습니다. 생각해보면 당시는 여러 가지 형태의 마르크스주의자가 있었습니다. 호리키처럼 허영 있는 모더니티에 의해 자칭하는 자도 있었고 저처럼 그저 비합법적 향기가 마음에 들어 그곳에 눌러앉은 자도 있었는데, 만일 이러한 실체를 마르크시즘의 진정한 신봉자에게 간파당했다면 호키리도 그렇고 저도 열화와도 같은 분노를 샀을 것이고, 비열한 배신자로서 즉각 추방당했을 테죠. 하지만 저도 그렇고 호키리마저도 좀처럼 제명 처분을 당하지 않았고, 특히나 저는 신사들의 합법적 세계보다 비합법적 세계에서 도리어 구애받지 않고 '건강'하게 처신할 수 있었기에 싹수 있는 '동지'로서, 웃음을 터트리고 싶어질 정도로 비밀스러운 여러 가지 일을 과도하게 부탁받았습니다. 실제로 저는 그런 일을 한 번도 거절한 적이 없었고 아무렇지도 않게 뭐든 수락했으며, 묘하게 부자연스러운 탓에 개(동지는 경찰을 그렇게 부르고 있었습니다.)가 수상쩍게 보고 불시 검문 따위를 받는 실수도 없었고, 미소를 띠고 남을 웃기면서 위험천만(사회 운동을 하는 이들이 중대사처럼 긴장하고 탐정소설의 허술한 흉내를 내면서 극도로 경계하며 제게 부탁하는 일은 어이가 없을 정도로 별거 아니었는데, 그런데도 그들은 그 일을 위험스러워하는 것에 맹렬하게 힘을 쏟고 있는 것 같았습니다.)하다고 그들이 말하는 일을 아무튼 정확하게 해냈습니다. 당시 제 마음은 당원으로서 체포 당하여, 만에 하나 종신형으로 교도소에서 살게 된다고 하더라도 아무렇지도 않았습니다. 세상 사람들의 '실생활'이라는 것을 두려워하며 매일 밤 불면의 지옥에서 신음하는 것보다는 도리어 옥살이가 편할지도 모른다고 생각하기도 했습니다.

아버지는 별장에 찾아오는 손님이나 외출 때문에 같은 집에 있어도 사흘이고 나흘이고 저와 얼굴을 마주한 적이 없었지만, 아무래도 아버지가 어렵고 두려워서 이 집을 나가 하숙하고 싶다고 생각하면서도 그걸 말하지 못하고 있던 차에, 아버지가 그 집을 팔아버릴 생각이라는 걸 별장 주인장 노인에게 들었습니다.

아버지의 의원 임기도 슬슬 끝나가고 있었고 여러 가지 이유가 있었음이 틀림없지만, 더는 선거에 나갈 의지도 없는 것으로 보였으며, 도쿄에 미련도 없는지 고향에 은거할 수 있는 건물 하나를 세웠고, 고작해야 고등학교 1학년에 불과한 절 위해 저택과 관리인을 제공하는 것이 아깝다는 생각이라도 한 모양인지(저는 아버지의 마음도 세상 사람들의 마음과 똑같이 알 수가 없었습니다.), 아무튼 이 집은 얼마 안 있어 남의 손에 넘어가고 저는 혼고 모리카와소森川町의 센유칸仙遊館이라는 낡고 우중충한 하숙방으로 이사하였고, 곧장 돈이 궁해졌습니다.

그때까지 아버지에게 다달이 정해진 금액의 용돈을 받았고, 그것은 이삼 일 사이에 사라졌지만 담배도 술도 치즈도 과일도 언제든 집에 있었고, 책이나 문구류 그 외 복장에 관련된 모든 것은 언제든 근처 가게에서 '외상'으로 얻을 수 있었으며, 호리키에게 소바나 튀김 덮밥 따위를 사줘도 아버지가 후원하는 고장에 있는 가게라면 조용히 먹고 나와도 괜찮았습니다.

그랬던 것이 갑자기 하숙집에서 혼자 살게 되고 모든 것을 다달이 정해진 금액의 돈으로 처리해야 하게 된 저는 갈피를 잡지 못했습니다. 아니나 다를까 송금받은 돈은 이삼 일로 사라져 버려 아찔해졌고, 불안 탓에 미쳐 버릴 것 같아서 아버지, 형, 누나에게 번갈아 가며 돈을 부탁하는 전보와 자세한 사정을 담은 편지(그 편지에 호소하던 사정은 모조리 광대의 허구였습니다. 남에게 뭔가를 부탁하는 데는 일단 그 사람을 웃게 만드는 것이 상책이라고 생각했던 겁니다.)를 연발하는 한편, 호리키가 알려준 대로 부지런히 전당포 출입을 시작했지만 언제나 돈이 부족했습니다.

애초에 저는 아무런 연고 없는 하숙집에서 홀로 '생활'해갈 능력이 없었습니다. 하숙집 방에 홀로 가만히 있는 것이 두려웠고 당장에라도 누군가 덮쳐와 일격을 가할 것 같은 기분이 들었으며, 시가지에서는 운동을 돕거나 호키리와 함께 싸구려 술을 마시러 다니며 학업이나 그림 공부도 거의 다 손을 놓았는데, 고등학교에 입학하여 이 년째 되는 십일월에 저보다 나이가 많은 유부녀와 동반 자살 사건을 일으켜서 제 상황은 일변했습니다.

학교는 결석하고 학과 공부에도 손을 뗐는데 시험 답안 작성 요령이 좋았던 것인지 그때까지는 그럭저럭 고향의 육친을 잘 속여왔지만, 이제 슬슬 술석 일수 부족

등으로 학교 측에서 내밀하게 고향에 있는 아버지에게 보고한 것으로 보였고, 아버지 대신에 큰형이 엄숙한 장문의 편지를 제게 보내왔습니다. 하지만 그보다도 직접적인 고통이었던 건 돈이 없다는 사실과 운동의 내용이 장난 반인 기분으로는 할 수 없을 정도로 격렬하고 바빠진 것이었습니다. 중앙지구인지 뭔지 아무튼 저는 혼고, 고이시카와, 시타야下谷, 간다神田 부근 모든 학교의 마르크스 학생연맹의 행동대대장이라는 것이 되어 있었습니다. 무장봉기라고 듣고 작은 칼을 사서(지금 생각해보면 그건 연필을 깎기에도 부족한 가녀린 나이프였습니다.) 그것을 레인 코트 주머니에 넣고 이리저리 쏘다니며 이른바 '연락'을 했습니다. 술을 마시고 푹 잠들고 싶었지만 돈이 없었습니다. 게다가 P(당을 그러한 은어로 부르고 있던 것을 기억하는데 어쩌면 다를지도 모릅니다.)에서 차차 숨 돌릴 틈이 없을 정도로 의뢰가 들어왔습니다.

제 병약한 몸으로는 쉽사리 임무를 수행해낼 수 없었습니다. 본래부터 비합법에 대한 흥미로만 그 단체를 돕고 있었고, 농담이 현실이 된 것처럼 눈코 뜰 새 없이 바빠지게 되자 저는 P의 사람들에게 '그건 번지수를 잘못 찾은 거죠. 당신들의 직계인 사람에게 시키시죠.' 같은 지긋지긋한 느낌을 금치 못하고 도망쳤습니다. 도망을 치니 당연히 기분이 좋지 않았고 죽기로 했습니다.

당시 제게 특별한 호의를 갖고 있던 여자가 세 명 있었습니다. 한 명은 제가 하숙하고 있던 센유칸의 딸이었습니다. 이 여자는 제가 운동을 도우며 곤죽이 되어 돌아와 밥도 먹지 않고 뻗어버리고 나면 반드시 편지지와 만년필을 갖고 제 방으로 올라와서는,

"미안해요. 밑에서는 동생들이 시끄러워서 차분하게 편지도 못 쓰겠어요."

라고 하며 세 색상에 앉아 부언가를 한 시간 이상이나

썼습니다.

저도 모른 척하며 누워있으면 좋았을 걸, 그 아가씨가 제가 뭔가 말하길 바라고 있는 모습이었기에 수동적인 봉사 정신을 발휘하여, 사실은 한마디도 하고 싶지 않은 기분이었지만 흐느적흐느적 완전히 녹초가 된 몸에 기합을 넣고 담배를 물고는 배를 깔고 누워서,

"여자한테서 온 러브레터로 욕실 물을 데웠다고 하는 남자가 있다고 합니다."

"어머, 싫어라. 그거 당신이죠?"

"우유를 데워서 마신 적은 있습니다."

"영광이에요, 마셔줘요."

이 사람 어서 나가줬으면 좋겠어. 편지라니 속이 훤히 들여다보이는데. 지렁이라도 기어가게 적은 게 분명합니다.

"보여주세요."

라고 죽어도 보고 싶지 않은 마음으로 그렇게 말하자,

"어머 싫어요."라고 말하며 기뻐하는 건 너무나도 추하고 흥이 깰 뿐이었습니다. 그래서 저는 뭐라도 시키자고 생각했습니다.

"미안하지만, 노면 열차 길 약국에 가서 칼모틴 Calmotin[11]을 사다 주지 않겠어? 너무 지쳐서 얼굴이 달아올라 잠들 수가 없어. 미안하군. 돈은, ……."

"됐어요, 돈 같은 건."

기쁘게 다녀오죠. 일을 분부하는 건 여자를 풀 죽게 만드는 일은 아니었고 도리어 여자는 남자에게 부탁받는 걸 기뻐한다는 것 또한 저는 잘 알고 있었습니다.

다른 한 명은 여자 고등사범학교의 문과생인 이른바 '동지'였습니다. 이 사람과는 그 운동의 일로 싫어도 매일 얼굴을 볼 수밖에 없었습니다. 모임이 끝나고 나서도 그 어지는 언제까지고 제게 딜라붙어 설으면서 끊임없이 제게 물건을 사주었습니다.

"날 친누나라고 생각해도 돼."

그 같잖음에 몸을 떨면서도 저는,

"그럴 참입니다."

라고 우수를 담은 미소를 만들어 대답합니다. 아무튼 화나게 만드는 건 무섭다, 어떻게든 얼버무려야만 한다고 하는 일념으로 결국 추하고 싶은 여자에게 봉사했고, 물건을 받고서는(사실 그 물건은 취미가 나쁜 것들뿐이었고 대체로 그것들을 곧장 닭꼬치집 아저씨에게 주었습니다.) 기쁘다는 얼굴로 농담을 해서 웃게 했으며, 어느 여름날 밤 죽어도 떨어지지 않기에 돌아가 주길 바라는 마음으로 어두운 거리에서 키스를 해주었더니, 한심하게도 광란하는 것처럼 흥분하며 차를 잡았고 사람들이 운동을 위해 몰래 빌린 걸로 보이는 빌딩 사무소의 좁은 방으로 데리고 가더니, 아침까지 축배를 들게 되어 천방

지축 누님이라며 저는 속으로 씁쓸히 웃었습니다.

하숙집 따님도 그렇고 이 '동지'도 그렇고 무슨 일이 있어도 매일 얼굴을 마주해야만 하는 상황이었기에 예전처럼 능숙하게 피하지 못했고, 그저 불안한 마음으로 질질 끌려다니며 열심히 이 둘의 기분을 맞춰갔으며, 어느덧 저는 속박당한 것과 다르지 않은 상황에 부닥쳤습니다.

또한 같은 시기 긴자銀座에 있는 어느 큰 카페의 여종업원에게 생각지도 못한 은혜를 입어, 단 한 번 만난 것뿐인데도 그 은혜에 얽매여 속박당한 듯한 우려나 이름 모를 두려움을 느꼈습니다. 그쯤 되면 저도 굳이 호리키의 안내에 기대지 않고서 혼자 열차도 탈 수 있었고 가부키자에도 갈 수 있었으며 카페에 들어갈 수 있을 정도로 다소 대범함을 갖추게 되었습니다. 마음속으로는 여선히 인간의 자신감과 폭력을 의심하고 두려워하며 고민

하면서도 외관만은 조금씩 타인과 진지한 얼굴로 인사, 아니 그렇지 않아, 저는 역시 패배한 광대의 고통스러운 웃음을 수반하지 않고서는 인사할 수 없는 성격이었는데, 아무튼 무아지경으로 쩔쩔매는 인사라도 어찌어찌할 수 있을 정도의 '기량'을, 그 운동으로 나돌아다닌 덕분? 어쩌면 여자의? 아니면 술? 아무튼 돈이 부족한 탓에 적당히 습득한 것입니다. 어딜 가도 두려웠지만 도리어 큰 카페에서 많은 취객과 여종업원, 보이들과 부대끼며 섞여들 수만 있으면 끊임없이 쫓기는 제 마음도 안정되지 않을까 싶어서 10엔을 들고 긴자에 있는 그 큰 카페에 혼자 들어가 웃음 지으며 여종업원에게,

"10엔밖에 없으니 여기에 맞게 부탁합니다."

라고 말했습니다.

"걱정 마세요."

어딘가 간사이 지방 억양이 섞여 있었습니다. 그리고

그 한 마디가, 떨리며 전율하는 제 마음을 기묘하게도 가라앉혀 주었습니다. 아뇨, 돈 걱정을 할 필요가 없었기 때문이 아니라 그 사람 곁에 있는 것에 대해 걱정할 필요가 없다는 기분이 들었기 때문입니다.

저는 술을 마셨습니다. 그 사람에 대해 경계를 풀었기에 광대 따위를 연기할 기분도 들지 않았고, 말수가 적고 음울한 제 본바탕을 여실히 드러내며 묵묵히 술을 마셨습니다.

"이런 걸 좋아해요?"

여자는 여러 가지 요리를 제 앞에 늘어놓았습니다. 저는 고개를 저었습니다.

"술만? 나도 마시지."

어느 차가운 가을밤이었습니다. 저는 츠네코(이렇게 기억하고 있지만 기억이 명확하지 않습니다. 정사 상대의 이름조차 잊고 있는 집니다.)가 말한 대로 긴자 뒷골

목에 있는 어느 포장마차 초밥집에서 맛없는 초밥을 먹으며(그 사람의 이름은 잊어도 그때 먹은 초밥의 맛은 어찌 된 일인지 선명하게 기억에 남아 있습니다. 그리고 구렁이 얼굴을 닮은 민둥산 아저씨가 머리를 이리저리 흔들어 가면서 능숙하다는 듯이 어필하며 초밥을 만드는 모습도 눈앞에서 보는 것처럼 선명하게 떠올랐고, 후일 열차 안에서 본 적 있는 얼굴이라며 어디서 봤는지 이리저리 생각하다가, '뭐야, 그때 그 초밥집 아저씨와 닮았군.' 하며 깨닫고는 쓸쓸하게 웃은 적도 여러 번 있습니다. 그 사람의 이름과 얼굴, 모습조차 기억에서 멀어진 지금도 초밥집 아저씨의 그 얼굴만은 그림으로 그려낼 수 있을 정도로 적확하게 기억한다는 건 그때의 초밥이 끔찍하게 맛없었고 제게 엄청난 추위와 고통을 선사했기 때문이라고 생각됩니다. 애초에 남들을 따라서 맛있는 초밥을 판다는 가게에서 먹어 봐도 맛있다고 생각한 적

은 한 번도 없었습니다. 너무 큽니다. 엄지손가락 크기
로 꽉 쥘 수 없는 걸까 항상 생각합니다.) 그 사람을 기
다렸습니다.

혼죠本所에 있는 목공소 이 층을 그 사람이 빌리고 있
었습니다. 저는 그곳에서 평소 자신의 음울한 마음을 조
금도 숨기지 않고 고통스러운 치통에 시달리는 것처럼
한쪽 손으로 볼을 누르며 차를 마셨습니다. 그리고 제
이런 자태가 도리어 그 사람의 마음에 든 것 같았습니다.
그녀의 주변은 늦가을 바람에 떨어지는 나뭇잎만이 미친
듯이 춤추고 있는 듯, 완벽하게 고립된 것 같은 여자였
습니다.

함께 쉬면서 그 사람은 저보다도 두 살 연상이라는 것,
고향은 히로시마広島, "내겐 남편이 있어. 히로시마에서
이발사를 했었지. 작년 봄 함께 집을 나와 도쿄로 도망
왔지만 남편은 노쿄에서 변변한 일을 하지 않다가 사기

죄로 교도소에 있어. 난 매일 사식을 넣으려고 교도소에 다니고 있지만 내일부터 관두겠어요." 따위의 말을 늘어놓았는데, 저는 어째선지 여자의 신변 이야기라는 것에 관심을 두지 않는 성격이었고, 그것은 여자가 말하는 방식이 서툴렀던 탓인지 이야기의 중점을 두는 방식이 잘못된 탓인지, 아무튼 언제나 마이동풍이었습니다.

외로움에 사무친다.

저는 여자의 천만 마디의 신변 이야기보다도 그 한 마디 중얼거림이 공감을 자아낼 수 있음이 분명하다고 기대했지만, 결과적으로 이 세상 여자에게 한 번도 그 말을 들어본 기억이 없다는 걸 기괴하고도 신기하게 느낍니다. 하지만 그 사람은 말로 '외로움에 사무친다'고는 하지 않았지만 한 마디 폭의 기류처럼 몸 외곽에 소리 없는 심한 외로움을 두르고 있었고, 그 사람에게 다가가자 제 몸도 그 기류에 감싸이며 다소 모가 나 있던 제 음울한 기류와 알맞게 융합되어, '물속 바위에 자리 잡은 낙엽'처럼 제 몸은 공포와 불안에서 멀어질 수 있었습니다.

그러한 백치 매춘부들의 품속에서 안심하고 푹 잠드는 마음과 딴판으로(무엇보다 그 프로스티튜트Prostitution들은 음울했습니다.), 사기죄로 잡혀간 범인의 부인과 지낸 하룻밤은 제게 행복하고(이런 가당찮은 말을 주저 없이 긍정하며 사용하는 일은 제 수기 전체에서 다시없는 일입니다.) 해방된 밤이었습니다.

하지만 하룻밤에 불과했습니다. 아침에 눈을 뜨고 벌떡 일어나서 저는 본래의 경박하고 가장된 광대로 돌아갔습니다. 겁쟁이는 행복조차 두려운 법입니다. 무명천으로 인해 상처를 입습니다. 행복에 상처받는 일마저 있습니다. 상처받지 않은 사이에 이대로 하루빨리 헤어지고 싶나고 초조해하며 익살이란 연막을 쳤습니다.

"돈이 끊길 때가 인연이 끊어질 때라고 하잖아? 그건 말야, 해석이 반대야. 돈이 떨어지면 여자에게 차인다는 의미가 아니야. 남자에게 돈이 없으면 남자 스스로 의기소침해지고 망가지며 웃음소리에도 힘을 잃고 묘하게 삐뚤어지다가 결국은 자포자기로 남자가 여자를 차는 반광란 상태가 되어, 차고 차고 또 찬다고 하는 의미지. 가나자와 대사전에 의하면 그래, 가엾게도. 나도 그 기분 이해가 되거든."

확실히 이런 식으로 바보 같은 소리를 하며 츠네코를 웃게 만든 기억이 있습니다. 오래 있을 필요는 없고 세수도 두렵다며 하지 않고서 속히 자리를 떴으나, 그때 제가 말한 '돈이 끊길 때가 인연이 끊어질 때'라고 하는 말도 안 되는 지껄임이 나중에 마음에 걸렸습니다.

그로부터 한 달간 저는 그날 밤의 은인과 만나지 않았습니다. 헤어지고 나서 날이 지남에 따라 기쁨은 흐려지며 일시적인 은혜를 입은 것이 도리어 두려웠고, 자기 멋대로 엄청난 속박을 느끼며 그때 카페의 계산을 츠네코에게 부담 지웠다는 사정조차 서서히 마음에 걸리기 시작했으며, 츠네코 역시 하숙집 딸이나 여자 고등사범과 마찬가지로 절 위협할 뿐인 여자로 생각되어, 멀리 떨어져 있으면서도 끊임없이 츠네코를 두려워했습니다. 저는 함께 잔 적이 있는 여자에게 다시 만나자고 했을 때 어쩐지 불같이 혼날 것 같은 기분이 들어 견딜 수가 없었고, 만나는 걸 심히 두려워하는 성격이었기에 결국 긴자는 경원시하는 상황이 되었으나, 두려워하는 성격은 결코 제 교활함이 아니라 여성이라는 것은 잘 때와 일이 끝났을 때를 완벽하게 망각한 것처럼, 티끌만큼의 이어짐 없이 보기 좋게 두 세계를 칼같이 나눠서 살고 있다고 하는 신기한 현상을 아직 잘 이해하지 못했기 때문입니다.

십일월 말 저는 호리키와 간다의 포장마차에서 싸구려 술을 마셨고, 이 악우는 포장마차를 나와서도 장소를 옮겨서 더 마시자고 주장했으며, 이제 자신들에게는 돈이 없었음에도 불구하고 계속 마시자며 끈덕졌습니다. 그때 저는 취해서 대담해졌기 때문이기도 하겠지만,

"좋아, 그럼 꿈의 나라에 데려가지. 놀라지 말라구, 주지육림이라는, ······."

"카페인가?"

"그래."

"좋지!"

라는 식이 되어 둘은 열차를 탔고, 호리키는 들떠서,

"오늘 밤 난 여자에게 굶주려 있다고. 종업원에게 키스해도 되나?"

저는 호리키가 그런 식의 주정을 부리는 걸 그다지 좋아하지 않았습니다. 호리키도 그걸 알고 있었기에 제게

그렇게 확인했던 것입니다.

"알겠지? 키스할 거라고. 내 옆에 앉은 종업원에게 반드시 키스하겠어. 오케이?"

"상관없지 않나."

"좋았어! 난 여자에게 굶주렸어."

긴자 욘초메에 내려서 츠네코만 믿고 주지육림이라는 카페에 무일푼 상태로 들어갔는데, 비어 있는 자리에 호리키와 마주 보고 앉자마자 츠네코와 또 한 명의 종업원이 맞이하러 왔고, 다른 한 명의 여종업원이 자신 옆에 그리고 츠네코가 호리키 옆에 앉았기에 저는 정신이 확 들었습니다. 츠네코는 곧 키스 당한다.

아깝다고 하는 마음은 아니었습니다. 저는 본래부터 소유욕이라는 것이 거의 없었고 가끔 흐릿하게 아쉽다는 기분은 들어도 감히 소유권을 주장하며 남과 싸울 기력은 잃있습니다. 이후, 저는 제 아내가 강간당하는 것을 묵묵히 보고 있던 적마저 있습니다.

　저는 옥신각신하는 것에 가능한 한 관여하고 싶지 않았습니다. 그 소용돌이에 휘말리는 게 두려웠습니다. 츠네코와 저는 하룻밤에 한정된 관계입니다. 츠네코는 제 것이 아닙니다. '아쉽다.' 따위의 주제넘은 욕망이 있을 턱이 없습니다. 하지만 저는 화들짝 정신이 들었습니다.

　제 눈앞에서 호리키의 맹렬한 키스를 받게 될 츠네코를 가엾게 생각했기 때문입니다. '호리키에게 더럽혀질 츠네코는 나와 헤어지지 않으면 안 되겠지. 거기다 내게는 츠네코를 잡아둘 정도의 긍정적인 정열이 없다. 아아, 이제 이걸로 끝장이다.'라고 생각하며 츠네코의 불행에 일순 정신이 들었으나, 저는 물처럼 자연스럽게 곧바로 포기하고 호리키와 츠네코의 얼굴을 견주어보며 싱글벙글 웃었습니다.

　하지만 일은 실로 예상치도 못하게, 아니 더욱 나쁘게

전개되었습니다.

"관뒀다!"

하고 호리키는 입을 일그러트리며 말하고는,

"아무리 나래도 이런 궁핍한 여자에겐……." 질렸다는 듯이 팔짱을 끼고 츠네코를 힐끔힐끔 보며 쓸쓸하게 웃었습니다.

"술을. 돈은 없어."

저는 작은 소리로 츠네코에게 말했습니다. 그야말로 뒤집어쓸 정도로 마셔보고 싶은 기분이었습니다. 속물의 눈에 츠네코는 취객이 키스하기에도 마땅찮은 그저 볼품없고 궁핍한 여자였습니다. 예상외든 의외든 저는 벼락을 맞고 부서진 기분이었습니다. 그때까지 전례가 없을 만큼 끝도 없이 술을 마시며 진탕 취해 츠네코와 얼굴을 마주 보고 서글프게 미소 지었습니다. 확실히 그런 말을 듣고 보니 그녀는 이상하게 지쳐있는 궁핍할 뿐인 여자라고 생각함과 동시에, 돈 없는 동지의 친화감(빈부의 부조화는 진부한 것 같아도 드라마의 영원한 테마 중 하나라고 지금은 생각합니다만)이라는 그것이, 그 친밀감이 가슴에 치밀어 올라 츠네코가 가여웠으며, 태어나서 처음으로 이때 미약하나마 연애의 감정에 의해 적극적으로 움직이는 자신을 자각했습니다. 토했고 인사불성이 되었습니다. 술을 마시고 자신을 잃을 정도로 취한 것도 그때가 처음이었습니다.

정신을 차렸더니 머리맡에 츠네코가 앉아 있었습니다. 혼죠에 있는 목공소 방에 누워 있었습니다.

"돈이 끊길 때가 인연이 끊어질 때, 같은 말을 하셔서 농담이라고 생각했더니 정말이었나. 와주질 않는걸. 끊어질 때라는 것도 성가셔. 내가 먹여 살려도 안 되겠나?"

"안 돼."

그 후 여자도 잠자리에 들었고 새벽녘 여자의 입에서 '죽음'이라는 말이 처음으로 나왔으며, 여자도 인간으로서의 생업에 완전히 지친 것 같았고 저도 세상에 대한 공포, 번거로움, 돈, 사회 운동, 여자, 학업을 생각하면 그것들을 견디면서 살아갈 수 있을 것 같지 않아서, 그 사람의 제안에 가볍게 동의했습니다.

하지만 그때는 아직 실감 나는 '죽자'는 각오는 아니었습니다. 어딘가 '놀이'라는 요소가 감춰져 있었습니다.

그날 오전에 우리는 아사쿠사를 떠돌았습니다. 찻집에 들어가 우유를 마셨습니다.

"당신이 돈 좀 내."

저는 일어나서 소매에서 돈지갑을 꺼내어 열었더니 동전 세 개, 수치보다도 처참한 마음에 휩싸여 순간 뇌리에 떠오른 것은 센유칸의 내 방, 교복과 이불만이 있을 뿐 더는 전당물이 될 법한 것은 하나도 남지 않은 황량한 방, 그 외엔 제가 현재 입고 다니고 있는 가스리 기모노[12]와 망토, 이것이 내 현실이다, 살아갈 수 없다는 것을 명확하게 깨달았습니다.

제가 망설이고 있었더니 여자도 일어나서 제 돈지갑을 들여다보며,

"어머 겨우 그것뿐?"

무심한 소리였지만 그 또한 뭉클하게 뼈와 살을 파고들 정도로 고통스러웠습니다. 처음으로 제가 사랑한 사람의 말인 만큼 아팠습니다. 이도 저도 아니었습니다. 동전 세 개는 돈이 아닙니다. 그것은 제가 여태껏 맛본 적 없는 기묘한 굴욕이었습니다. 결코 살아있을 수 없을 만큼 굴욕적이었습니다. 어차피 당시의 저는 부잣집 도련님이라는 족속에서 완전히 벗어나지 못했던 거겠죠. 그제야 저는 자진해서 죽자고 실감으로서 결의했던 것입니다.

그날 밤 우리는 가마쿠라鎌倉의 바다에 뛰어들었습니다. 여자는 착용하고 있는 허리띠는 가게 친구에게 빌린 것이라고 하며 풀고는 접어서 바위 위에 올려두었고, 저도 망토를 벗어서 같은 곳에 두고 함께 물에 뛰어들었습니다.

여자는 죽었습니다. 그리고 저만 살아남았습니다.

제가 고등학생이었고 아버지의 이름도 얼마간 뉴스밸류News Value가 있었는지, 신문에도 크게 다뤄진 것 같았습니다.

저는 바닷가 병원에 수용되었고, 고향에서 친척 한 명이 달려와 여러 가지 뒤처리를 해주었는데 아버지를 비롯해 일가가 격노하고 있으니 이대로 생가와 의절하게 될지도 모른다고 제게 말해주고 돌아갔습니다. 하지만 저는 그런 것보다 죽은 츠네코가 그리워서 훌쩍거리며 울 뿐이었습니다. 타인 중에서 궁핍한 츠네코만 좋아했으니까요.

하숙집 딸에게 단가를 오십 수나 줄줄이 써 내려간 긴 편지가 왔습니다. '살아주우'라는 이상한 말로 시작하는 단가만 오십 수였습니다. 그리고 간호사들이 밝게 웃으며 병실에 놀러 와서는 제 손을 꽉 잡고 나서 돌아가기도 했습니다.

제 왼쪽 폐가 고장 나 있던 것을 그 병원에서 발견하였고 이것이 제게는 상황 좋은 일이 되었으며, 이윽고 자살방조죄라는 죄명으로 병원에서 경찰서로 연행되었지만 경찰에서는 절 환자 취급을 해주며 특별 보호실에 수감했습니다.

심야, 보호실 옆 숙직실에서 불침번을 서고 있던 나이 든 경찰이 문을 살짝 열고서,

"거기!"

하고 제게 말을 걸며,

"춥지? 이리 와서 불 좀 쬐어."

라고 말했습니다.

저는 맥없이 숙직실에 들어가 의자에 앉아 불을 쬐었습니다.

"역시 죽은 여자가 그립겠지."

"네."

짐짓 숨이 끊어질 듯 가느다란 목소리로 대답했습니다.

"그런 게 사람 마음이라는 거지."

그는 점차 노골적으로 변했습니다.

"처음에 어디서 여자와 관계를 맺었는가?"

마치 재판관처럼 거드름을 피우며 물었습니다. 그는 절 아이라고 얕보며 가을밤의 지루함에 취해 그 자신이 조사를 담당하는 주임이라도 된 양, 제게 외설적인 진술을 끄집어낼 생각인 것 같았습니다. 저는 재빠르게 그것을 일아사리고 웃음을 터뜨리고 싶은 설 참는 데 힘을

뺐습니다. 경찰의 '비공식적 진문'에는 대답을 거부해도 된다는 사실은 저도 알고 있었으나 가을밤 흥을 돋우기 위하여, 저는 순순히 그 경찰이야말로 조사를 담당하는 주임이고 형벌의 경중을 결정하는 것도 그 순사의 소견 하나에 달렸다는 걸 굳게 믿어 의심치 않는 성의 있는 태도를 겉으로 드러내며, 호색한인 그의 호기심을 조금 만족시킬 정도로 적당히 '진술'했습니다.

"응, 그걸로 대강 알겠어. 뭐든 정직하게 대답하면 나도 그에 대해서 편의를 봐주지."

"감사합니다. 잘 좀 부탁드리겠습니다."

거의 신들린 연기였습니다. 그리고 제게는 뭐 하나 득이 되지 않는 열연이었습니다.

날이 밝고 저는 서장에게 불려갔습니다. 이번에는 정식 조사였습니다.

문을 열고 서장실에 들어가자마자,

"이런 잘생겼군. 이건 네 잘못이 아니야. 이렇게 멋진 남자로 낳아준 네 어머님이 나쁜 거지."

얼굴색이 조금 까맣고 대학을 나온 느낌이 드는 아직 젊은 서장이었습니다. 갑작스레 그런 말을 들은 저는 제 얼굴 반쪽에 붉은 멍이라도 든 것 같은, 추한 불구자와도 같은 비참한 기분이 들었습니다.

유도나 검도 선수로 보이는 이 서장의 조사는 실로 담백하여 심야 늙은 경찰의 비밀스럽고 지독히도 집요했던 호색한의 '조사'와는 하늘과 땅 차이였습니다. 심문이 끝나고 서장은 검사국에 보낼 서류를 적으며,

"몸을 잘 관리해야겠어. 혈담이 나오고 있지 않나."

라고 말했습니다.

그날 아침 이상하게 기침이 나서 저는 기침이 날 때마다 손수건으로 입을 막고 있었는데 그 손수건에 붉은 싸라기눈이 내린 것 같이 피가 묻어 있었습니다. 하지만

그건 목에서 나온 피가 아니라 어젯밤 귀 아래에 생긴 작은 종기를 만지작거리다가 나온 피였습니다. 하지만 그걸 밝히지 않는 편이 좋을지도 모르겠다는 기분이 문득 스쳤기 때문에 그저,

"네."

라고 하며 시선을 아래로 내리고 얌전히 대답했습니다.

서장은 서류를 다 적고 나서,

"소송이 될지는 검사님이 판단할 일이지만 네 신원 인수인에게 전보나 전화로 오늘 요코하마橫浜 검사국에 가도록 부탁해두는 편이 좋을 거다. 누군가 있겠지? 네 보호자나 보증인이."

아버지의 도쿄 별장에 드나들고 있던 서양화 골동품 상인인 시부타澁田라고 하는, 우리와 동향인으로 아버지에게 아부를 떠는 일도 하던 땅딸막한 독신 사십 대 남자가 제 학교의 보증인이라는 걸 떠올렸습니다. 그 남자

의 얼굴이, 특히 눈매가 넙치와 닮았다고 하여 아버지는 언제나 그 남자를 넙치라고 불렀고 저도 그렇게 부르는 데 익숙했습니다.

저는 경찰의 전화번호부를 빌려 넙치의 집 전화번호를 찾아냈고, 넙치에게 전화하여 요코하마 검사국에 가달라고 부탁했더니 넙치는 사람이 변한 것처럼 으스대는 말투를 쓰면서도 아무튼 수락했습니다.

"이봐 그 전화기 곧장 소독하는 편이 좋겠어. 저 친구 혈담을 했으니까."

제가 다시 보호실로 돌아온 후 경찰들에게 그렇게 명령하고 있는 서장의 커다란 목소리가 보호실에 앉아 있는 제 귀까지 들어왔습니다.

정오가 조금 지났을 무렵 저는 가느다란 끈으로 몸통이 묶였고, 망토로 그걸 감추는 걸 허락받았으나 그 끈의 끄드머리를 짊은 경찰이 단단히 삽고 있었으며, 열차를 함께 타고서 요코하마를 향했습니다.

하지만 제게는 눈곱만큼의 불안도 없었고 경찰서 보호실과 늙은 경찰도 그리웠으며, 아아, 저는 대체 왜 이 모양일까요? 죄인으로서 묶이면 도리어 마음이 놓이고 안심이 되어 차분해지며, 그때의 추억을 지금 쓰려고 해도 정말 느긋하고 희희낙락한 기분입니다.

하지만 그때의 그리운 추억에도 단 하나, 식은땀이 흐르는, 평생 잊을 수 없는 비참한 실책이 있었습니다. 저는 검사국의 어두컴컴한 방에서 검사의 간단한 조사를 받았습니다. 마흔 살 전후의 검사는 차분하고(만일 제가 잘생겼다고 해도 그건 음탕하게 잘생긴 것임이 틀림없지만 그 검사의 얼굴은 반듯하게 잘생겼다고 표현하고 싶은, 총명하고 온건한 기운을 갖고 있었습니다.) 빡빡하게 굴지 않는 사람인 것 같았기에, 저도 전혀 경계하지 않고 멍하니 진술하고 있었는데 돌연 기침이 나와서 저는 소매에서 손수건을 꺼냈고, 피를 보고서 문득 이 기침 역시 무슨 도움이 될지도 모르겠다는 비열한 술책을 떠올리며, '콜록콜록' 두 번의 거짓 기침을 과장되게 더했고 손수건으로 입을 막은 채 검사의 얼굴을 힐끔 본 그 순간,

"정말이니?"

침착한 미소였습니다. 식은땀이 줄줄, 아뇨, 지금 떠올려도 빙글빙글 춤추고 싶어집니다. 중학교 시절 바보 다케이치에게 가짜라는 말을 들으며 의표를 찔려 지옥으로 추락했던 그때의 마음 이상이라고 해도 과언은 아닐 겁니다. 그것과 이것, 제 생애에 걸친 연기 중 대실패를 한 기록입니다. 검사에게 그와 같은 차분한 모멸을 당하는 것보다는 도리어 십 년 형을 선고받는 편이 낫다고 생각한 적도 있습니다.

저는 집행유예를 받았지만 전혀 기쁘지 않았고 비참한

기분으로 검사국 대기실 벤치에 앉아 인수인인 넙치를

기다렸습니다.

　등 뒤에 있는 높은 창에서 석양이 보였고 갈매기가 '

여자女'라는 글자 형태로 날고 있었습니다.

세 번째 수기

1

다케이치의 예언 중 하나는 맞았고 하나는 빗나갔습니다. 여자들이 반할 거라고 하는 명예롭지 못한 예언은 들어맞았으나 뛰어난 화가가 될 거라고 하는 축복 어린 예언은 빗나갔습니다.

저는 조악한 잡지의 솜씨 없는 무명 만화가가 될 수 있었을 따름입니다.

가마쿠라 사건 탓에 고등학교에서는 제적당하고 저는 넙치의 집 이 층 약 1.5평 방에 거처하며 지냈고, 고향에서는 다달이 극히 적은 돈을, 그것도 직접 제 앞으로 오는 것도 아닌 넙치를 통해 은밀히 보내오는 것 같았는데(게다가 그건 고향의 형들이 아버지 몰래 보내준다고 하는 것 같았습니다.) 그것 외에 고향과 인연은 전부 끊어졌고 넙치는 언제나 기분이 좋지 않았으며, 제가 붙임성 좋은 웃음을 보여도 웃지 않으며 인간이라는 건 이다지도 간단하게, 손바닥 뒤집듯이 변할 수 있는 건가 싶을 정도로 야비하게, 아니 도리어 우스꽝스럽게 생각될 만큼 극도로 변한 모습으로,

"나가면 안 됩니다. 아무튼 나가지 마세요."

그 말만 했습니다.

넙치는 제가 자살할 우려가 있다며 감시하고 있는 것인지, 다시 말해, 여자 뒤를 쫓아 바다에 뛰어들 위험이 있다고 보고 있는지 제 외출을 단단히 금지했습니다. 하지만 술도 못 마시고 담배도 못 피우며 그저 아침부터 밤까지 코딱지 만한 방의 고타츠[13]에 들어가서 옛날 잡지 띠위를 읽으며 바보처럼 사는 저는

자살할 기력마저 잃고 말았습니다.

넙치의 집은 오쿠보大久保 의학전문학교 근처에 있었고 서예골동상, 청룡원처럼 간판 글자는 상당히 위세등등해도 살림집과 붙어있었으며, 가게 입구도 좁았고 가게 안은 먼지투성이에다 쓰잘데기 없는 잡동사니만 늘어놓았습니다. 넙치는 가게의 잡동사니로 장사하는 게 아니라 비장품의 소유권 양도를 중개하여 돈을 버는 것 같았습니다. 가게에 앉아 있는 일은 거의 없는 데다 대체로 아침부터 분주하게 진지한 얼굴로 나갔고, 가게를 비우면 열일곱 여덟인 사환 한 명이 제 감시역이라는 식이었는데, 틈만 나면 근처 아이들과 밖에서 캐치볼을 해도 이 층 식객을 마치 바보나 정신병자 정도로 생각하고 있는지 고리타분한 설교를 했고, 저는 남과 논쟁하지 못하는 성격이었기에 지치고 감탄하는 얼굴로 그것에 귀를 기울이며 복종했습니다.

이 사환은 시부타가 숨겨둔 자식이었는데 그것도 이상한 사정이 있어서 시부타는 부모 자식 사이라고 밝히지 않았고, 시부타가 계속 독신인 것도 어떤 이유가 있는지, 저도 예전 우리 집 사람들에게 그것에 대한 소문을 조금 들었던 것 같은데, 타인의 신변에는 그다지 관심을 두지 않는 편이었기에 속사정은 아무것도 몰랐습니다. 하지만 그 사환의 눈매도 묘하게 생선 눈을 연상시키는 부분이 있었기 때문에 어쩌면 정말로 넙치의 숨겨놓은 자식, ...하지만 그렇다면 둘은 실로 서글픈 부자였습니다. 이 층에 있는 저는 빼놓고 밤늦게 둘이서 소바 따위를 시켜서 아무 말 없이 먹었던 적도 있습니다.

넙치의 집에서 식사는 언제나 사환이 만들었고 이 층 식객의 식사만 따로 상을 차려 그가 세 번 다 이 층으로 날랐으며, 그들은 계단 아래의 음습한 2평이 조금 넘는 좁은 방에서 그릇이 부딪치는 소리를 내며 분주하세 식사했습니다.

삼월 말 어느 저녁 무렵, 넙치는 생각지도 못한 건수라도 잡았는지 아니면 뭔가 책략이라도 있는지(이 추측이 모두 맞았다고 해도 아마 저 따위는 절대 예상할 수 없는 몇몇 세부적인 원인도 있었겠지만) 드물게 아래층에 술병 따위를 놓은 식탁으로 불러 넙치가 아닌 참치 회를 차려놓고 대접하는 것에 대해 주인 스스로가 탄복하고 상찬했고, 넋이 빠진 식객에게도 술을 권하며,

"앞으로 어쩔 참입니까, 대체."

저는 그에 대답하지 않고 식탁 위 접시에서 정어리 포를 집어 작은 생선들의 은빛 눈알을 바라보고 있었더니 취기가 어렴풋이 돌았고, 놀러 다니던 때가 생각나며 호키리마저도 그리워서 절절히 '자유'를 바랐고 문득 가늘게 울 것 같았습니다.

이 집에 오고 나서 광대를 연기할 의욕도 없이 그저

넙치와 사환의 멸시 속에 자신을 맡겼고, 넙치 또한 저와 허심탄회한 긴 이야기를 나누는 걸 피하고 있는 모습이었으며, 저 역시 그런 넙치에게 호소할 기분 따위는 들지 않았으니 저는 그야말로 얼빠진 식객 그 자체였습니다.

"기소유예라는 건 전과범은 아닌 모양입니다. 그러니 당신이 마음먹기에 따라서는 갱생할 수 있다는 거죠. 당신이 만일 개과천선하여 제게 진지한 모습을 보여준다면 저도 생각해보겠습니다."

넙치의 이야기 방식은 아니, 세상 모든 인간의 말하는 방식은 까탈스럽고 어딘지 몽롱했고, 발뺌할 셈이라고 해도 좋을 정도로 복잡 미묘했으며, 무익하다고 생각될 정도의 엄중한 경계와 무수히 많다고 해도 좋을 정도의 끈질긴 밀당 때문에, 항상 당혹스러워서 자포자기의 심정으루 광대 짓을 통해 상황을 넘기기니 아무 밀 없이 긍정하며 전임한다고 하는 이른바 패배의 태도를 보이고 말았습니다.

이때도 넙치가 제게 다음과 같이 간단히 보고하면 그걸로 족했던 것을 저는 나중에서야 알게 되었고, 넙치의 불필요한 경계, 아니 세상 사람들의 불가해한 허세와 빈말에 대해 형언할 수 없는 음울한 일을 당했습니다.

넙치는 그때 그저 이렇게 말하면 충분했던 겁니다.

"공립이든 사립이든 좋으니 일단 4월부터 학교에 들어가세요. 당신의 생활비는 학교에 들어가면 국가에서 더 많이 보조해 줄 겁니다."

많은 시간이 흐른 후 알았는데 사실은 그렇게 되어 있던 것입니다. 그렇다면 저도 그 말에 따랐겠죠. 하지만 넙치의 강한 경계와 둘러대는 말투 때문에 상황이 묘하게 뒤틀리며 제 삶의 방향도 완벽하게 틀어졌습니다.

　"진지하게 저와 의논할 마음이 없다면 하는 수 없지만요."

　"무슨 의논?"

　저는 정말 아무것도 짚이는 것이 없었습니다.

　"그건 당신 마음에 있겠죠?"

　"예를 들면?"

　"예를 들어, 앞으로 어떻게 할 생각인가 하는 거죠."

　"일하는 편이 좋을까요?"

　"아뇨, 당신의 마음은 어떻습니까?"

　"하지만 학교에 들어가려고 해도, ……."

　"그야 돈이 필요합니다. 하지만 문제는 돈이 아닙니다. 당신의 마음가짐입니다."

　'돈은 국가에서 대주기로 되어 있으니까.' 하고 어째서 그 한마디 말을 하지 않았을까요? 그 말에 의해 제 마음도 결정되었을 텐데, 그야말로 오리무중입니다.

"어때요? 장래희망이라고 할 만한 것이 있습니까? 사람 하나를 보살핀다는 건 얼마나 힘든 일인지, 보살핌을 받는 사람은 알 수 있을 리 없지요."

"죄송합니다."

"그야 정말 걱정입니다. 제가 보살피겠다고 한 이상 당신도 어중간한 마음이 아니었으면 합니다. 멋지게 갱생의 길을 걷는다는 각오쯤 보여주었으면 합니다. 이를테면 당신의 장래희망, 그에 대해 당신이 제게 진지하게 말해준다면 저도 도울 생각입니다. 그야 이렇게 궁핍한 넙치의 원조일 테니까 예전 같은 사치를 바란다면 기대가 빗나가겠죠. 하지만 당신의 마음이 확고하고 장래 계획을 확실하게 세우고 나서 제게 의논한다면 작게나마 당신의 갱생을 위해 도움을 줄 생각입니다. 아시겠습니까, 당신의 마음을. 당신은 앞으로 어쩔 참입니까."

"여기 이 층에서 살 수 없었다면 일해서, ……."

"진심으로 그런 말을 하는 겁니까? 요즘 세상에 아무리 제국대학교를 나왔다고 해도, ……."

"아뇨, 회사원이 되는 게 아닙니다."

"그러면 뭡니까?"

"화가요."

눈 딱 감고 그렇게 말했습니다.

"뭐라고요?"

저는 그때 목을 움츠리며 웃던 넙치의 얼굴을, 너무나도 교활해 보이는 모습을 잊을 수가 없습니다. 경멸하는 것 같기도 아닌 것 같기도 한, 세상을 바다에 견준다면 열 길 물속에 그런 기묘한 형체가 흔들리고 있을 법한, 어쩐지 어른의 생활 중추를 살짝 엿본 것 같은 웃음이었습니다.

그런 걸로는 이야기가 안 된다, 전혀 마음이 잡혀 있지 않다, 오늘 하룻밤 진지하게 생각해보라는 말을 듣고, 저는 쫓기듯이 이 층으로 올라가서 누워 봐도 아무 생각도 떠오르지 않았습니다. 그리고 해가 뜰 즈음에 집에서 도망쳤습니다.

<저녁 무렵 반드시 돌아가겠습니다. 왼쪽에 적어놓은 친구 집에 장래의 방침을 의논하러 갔다 오려고 하니 걱정하지 마세요. 정말로.>

하고 편선지에 연필로 커다랗게 적고서 아사쿠사에 사는 호리키 마사오의 주소와 성명을 써넣고 몰래 넙치 집을 나왔습니다.

넙치에게 설교 당한 것이 분해서 도망친 것이 아니었습니다. 저는 넙치가 말한 대로 마음이 잡혀 있지 않았고 장래희망도 그 무엇도 전혀 짚이는 바가 없었으며, 그러면서도 넙치의 집에 신세를 지는 게 미안했습니다. 만에 하나 제게 분발하겠다는 기분이 들고 의지가 생겼다고 해도 저 빈곤한 넙치가 갱생 자금을 다달이 원조할 수 있을지에 대해 생각하자 너무나도 괴로워 더는 배길 수 없는 기분이 들었기 때문입니다.

하지만 '장래 계획'에 대해 호리키 따위에게 의논하러 가겠다고 진심으로 생각하여 넙치 집을 나선 것은 아니었습니다. 그것은 그저 조금이라도, 한순간이라도 넙치를 안심시켜두고 싶어서(그 사이 제가 조금이라도 먼 곳으로 도망가 있기를 바라는 탐정소설 같은 책략에서 그런 편지를 써두고 나왔다기보다는 아뇨, 그런 기분도 조금은 있었지만, 그보다는 갑작스레 넙치에게 쇼크를 주어 혼란을 일으키고 당혹스럽게 만드는 것이 두렵다는 이유 하나였다고 말하는 편이 어느 정도 정확할지도 모르겠습니다. 어차피 들통날 것이 뻔한데 그대로 말하는 것이 두려웠고 반드시 수식을 넣는다는 것이 제 가여운 버릇 중 하나였으며, 그것은 세상 사람이 '거짓말쟁이'라고 부르는 비겁한 성격과 유사하지만, 저는 제게 이익이 되도록 수식을 덧붙이는 일은 드물었고 단순히 흥이 깨져 일변하는 분위기가 질식할 정도로 두려워서, 나중에 제게 불이익이 된다는 걸 알면서도 '필사적으로 봉사'하겠다는 마음에서 저도 모르게 설명을 덧붙이는 경우가 많았던 것 같습니다. 그것이 설사 일그러지고 미약하며 바보 같은 것이라고 해도 말입니다. 하지만 이 습성도 세간에서 말하는 '정직한 사람'들에 의해 크게 좌우 당하게 됩니다.) 그때 문득 떠오른 대로 호리키의 주소와 이름을 적어 넣었을 뿐입니다.

저는 넙치의 집을 나와 신주쿠新宿에 걸어갔고, 안주머니에 있던 책을 팔고 나서 아니나 다를까 어찌할 바를 몰랐습니다. 저는 모든 사람에게 붙임성이 좋은 대신에 '우정'이라는 걸 한 번도 실감해 본 적이 없었고, 호리키처럼 함께 노는 친구는 제쳐두고 모든 교제에서 고통만 받을 뿐이었으며, 그런 고통에서 벗어나 보려고 열심히 광대를 연기하여 도리어 몹시도 지쳤고, 손에 꼽는 지인의 얼굴을, 조금이라도 닮은 얼굴을 거리에서 발견하기라도 하면 흠칫 놀라며 순간 현기증이 날 정도로 불쾌한 전율에 사로잡히는 게 태반이었고, 타인에게 호감을 얻는 법은 알아도 타인을 사랑할 능력이 결여된 것 같습니다. 애초에 세상 사람들에게 '사랑'할 능력이 있기나 한 지 의문입니다. 그러한 제게 '절친한 친구' 따위가 생길 리도 없었고 제게는 '방문'할 능력조차 없었습니다. 타인의 집 문은 제게 '신곡'에 나오는 지옥문 이상으로 섬뜩했고, 그 문 너머에는 무시무시한 용처럼 추악하고 기묘한 짐승이 꿈틀내고 있는 기척을, 과장 없이 실제로 느꼈습니다.

교류하는 사람이 없다. 어디에도 갈 수 없다.

호리키.

그야말로 농담에서 말이 튀어나온 형국입니다. 편지에 적힌 대로 아사쿠사에 호리키를 찾아가기로 했습니다. 그때까지 제가 먼저 호리키의 집을 방문한 적은 한 번도 없었고 대체로 전보로 호리키를 불러내고 있었지만, 지금은 그 전보 요금조차 아쉬웠고 영락한 신세의 비뚤어진 마음일지도 모르지만 전보를 치는 것만으로는 호리키가 와주지 않을지도 모른다고 생각하여 제게 거북스러운 '방문'을 결의하고, 한숨을 쉬며 열차를 타고서 이 세상에서 제가 의지할 수 있는 단 하나의 끈이 호리키라고 절절히 느꼈더니, 어쩐지 등줄기가 오싹해지는 무시무시한 감각에 휩싸였습니다.

호리키는 집에 있었습니다. 더러운 길 안쪽

이층집에서 호리키는 이 층에 하나밖에 없는 약 3평짜리 방을 썼습니다. 일 층에는 호리키의 노부모와 집에서 일하는 사람 이렇게 셋이서 게타下駄[14]의 하나오鼻緒[15]를 꿰매거나 두드리며 만들고 있었습니다.

호리키는 그날 도시인으로서의 새로운 일면을 제게 보여주었습니다. 그것은 속되게 말해서 인색한 성향이었습니다. 시골 사람인 제가 경악하며 눈을 크게 뜰 정도로 차갑고 교활한 에고이즘이었습니다. 그는 저처럼 그저 하염없이 휩쓸리는 성격은 아니었던 겁니다.

"네겐 정말 질렸어. 부모님께 용서는 받았나. 아직인가."

여기에 대고 도망 왔다고 말할 수는 없었습니다.

저는 항상 그래왔던 것처럼 얼버무렸습니다. 얼마 안 있어 호리키가 눈치챌 게 분명함에도 그랬습니다.

"이떻게든 되겠지."

"이봐, 웃을 일이 아니야. 충고하는데 바보 같은 짓도 정도껏 하라고. 난 오늘 용건이 있어. 요즘 죽을 만큼 바빠."

"용건이라니 무슨?"

"이봐, 거기. 방석 실이 끊어지잖아."

저는 이야기를 나누면서 제가 앉아 있던 방석에 봉합된 실인지 묶인 끈인지, 네 귀퉁이에 붙은 술 같은 실 중 하나를 무의식적으로 만지작거리며 꾹 잡아당기고 있었습니다. 호리키는 자기 집 물건이라면 방석 실 하나조차 아까운지 창피한 기색도 없이 그야말로 눈에 쌍심지를 켜고 저를 타박했습니다. 생각해보면 호리키는 여태껏 저와의 관계에서 무엇 하나 잃은 것이 없었습니다.

호리키의 늙은 어머니가 쟁반에 오시루코[16] 두 개를 얹어 가져왔습니다.

"아, 이런."

하며 호리키는 뿌리부터 효자인 것처럼 노모에게 황송해하며 말투도 부자연스러울 정도로 정중하게,

"고맙습니다, 뭘 이런 것을. 이야 호화롭구먼. 이렇게 신경 안 쓰셔도 되는데요. 용건이 있어서 곧 나가봐야 하거든요. 아뇨, 그래도 모처럼 이렇게 맛있는 오시루코인데 아깝죠. 잘 먹겠습니다. 너도 한 그릇 어때? 어머니께서 손수 만들어 오셨어. 아아 이거 정말 기가 막힌다. 호사 그 자체가 따로 없군."

하고 완전히 연기하는 것도 아니라는 듯이 호들갑을 떨며 맛있다고 먹었습니다. 저도 그것을 홀짝였지만 끓인 물 냄새가 났고 떡을 먹었더니 그건 떡이 아니라 전 알 수 없는 무언가였습니다. 결코 그러한 빈곤함을 비하하는 것이 아닙니다. 저는 그때 맛없다는 생각은 하지 않았고 노모의 마음 씀씀이도 몸에 스몄습니다.

제게는 빈곤함에 대한 황송함은 있어도 경멸은 없었을 것입니다. 그 오시루코와 오시루코를 보며 기뻐하는 호리키에 의해 도시인의 검소한 본성과 안과 밖을 명확하게 구분 지어 사는 도쿄인 가정의 실체가 각인되어, 안팎 할 것 없이 그저 인간의 생활에서 도망치고만 있는 얼간이인 저만 완벽히 홀로 남겨졌고 호리키에게도 버림받은 것 같은 낌새에 당황했으며, 칠이 벗겨진 젓가락을 들고서 견딜 수 없이 고독했다는 사실을 적어두고 싶을 따름입니다.

"미안하지만 오늘 할 일이 있어서."

호리키는 일어나서 겉옷을 입으며 그렇게 말하고는,

"실례하지, 미안하지만."

그때 호리키 집에 여자 방문자가 있었고 제 신변도 급변했습니다.

호리키는 불현듯이 활기를 띠며,

"이런 죄송합니다. 지금 말이죠, 당신을 뵈려고 하던 참이었는데 이 사람이 갑자기 찾아와서, 아뇨 상관없습니다. 자, 들어오세요."

상당히 허둥대고 있었는데, 지금까지 내가 깔고 앉아 있던 방석을 거꾸로 뒤집어 내민 것을 채가더니, 그걸 다시 뒤집어서 그 여자에게 권했습니다. 방에는 호리키의 방석 외에는 방석이 하나씩밖에 없었습니다.

여자는 마르고 키가 컸습니다. 그 방석은 옆에 치워두고 입구 근처에 있는 한쪽 구석에 앉았습니다.

저는 멍하니 둘의 대화를 듣고 있었습니다. 여자는 잡지사 사람인 듯, 호리키에게 컷이니 뭐니를 의뢰한 것인지, 그것을 받으러 온 것 같았습니다.

"급해서요."

"다 했습니다. 진즉에 끝냈습니다. 이겁니다, 보시죠."

그때 전보가 왔습니다.

호리키가 그것을 읽고 좋지 않던 얼굴이 더욱 험악해지더니,

"아니! 너 이건 뭐야?"

넙치에게 온 전보였습니다.

"아무튼 곧장 돌아가라고. 내가 널 배웅하면 좋겠지만 난 지금 그럴 틈이 없어. 가출했으면서 그렇게 무사태평한 면상을 하고는."

"댁은 어디세요?"

"오쿠보입니다."

곧장 대답했습니다.

"그러면 잡지사 근처니까요."

여자는 야마나시 태생으로 스물여덟 살이었습니다. 다섯 살이 되는 딸과 고엔지高円寺 아파트에 살고 있었습니다. 남편과 사별하고 삼 년이 된다고 했습니다.

"당신은 많이 고생하며 자란 것 같네. 눈치가 빨라.

가엾게도."

처음으로 놈팡이 같은 생활을 했습니다. 시즈코(이건 여기자의 이름이었습니다.)가 신주쿠에 있는 잡지사로 근무하러 나간 후에, 저와 시게코라는 다섯 살짜리 여자아이 둘이서 얌전히 집을 보게 되었습니다. 그때까지 어머니가 집을 비운 사이에 시게코는 아파트 관리인의 방에서 놀고 있었던 것 같았는데, '붙임성 좋은' 아저씨가 놀이 상대로 나타났기에 기분이 좋아 보였습니다.

일주일 정도 멍하니 저는 그곳에 있었습니다. 아파트 창문 근처에 있는 전선에 얏코다코奴凧[17]가 하나 엉켜 있었고, 먼지 섞인 봄바람에 휘날려 찢어지면서도 끈질기게 전선에 들러붙어 떨어지지 않으며 흔들리고 있었기에, 저는 그걸 볼 때마다 쓸쓸하게 웃었고 얼굴을 붉혔으며 꿈까지 꾸며 가위에 눌렸습니다.

"돈이, 필요해."

"……얼마나?"

"많이. ……돈이 끊길 때가 인연이 끊어질 때라는 건 사실이야."

"바보 같아. 그런 케케묵은 소릴, …….."

"그래? 하지만 넌 모를 거야. 이대로면 난 도망치게 될지도 몰라."

"대체 누가 궁핍하다는 거야. 그리고 누가 도망친다는 거야. 참 이상해."

"스스로 벌어서 그 돈으로 술, 아니 담배를 사고 싶어. 그림도 난 호리키보다 훨씬 잘 그릴 수 있다고."

이때 자연스레 제 뇌리에 스친 것은 중학생 때 그린, 다케이치가 말한 몇 장이나 되는 '괴물'의 자화상이었습니다. 잃어버린 걸작. 그것은 번번이 이사하는 사이에 분실했는데 그것만은 확실히 뛰어난 그림이었던 것 같다는 기분을 떨칠 수가 없습니다. 그 후 여러모로 그려보아도 추억 속 명작에는 도달하지 못했고, 가슴이 텅 빈 것 같은 나른한 상실감에 끊임없이 시달려 왔습니다.

먹다 남긴 한 잔의 압생트 Absinthe.

영원히 보답받을 수 없는 상실감을 남몰래 그렇게 형용하고 있었습니다. 그림 이야기가 나오면 제 눈앞에 먹다 남긴 한 잔의 압생트가 어른거리며, '아아, 그 그림을 이 사람에게 보여주고 싶다. 그리고 내 그림에 대한 재능을 인정하게 만들고 싶다.'라면서 초조함에 몸부림쳤습니다.

"후후, 그건 정말일까? 당신은 진지한 얼굴로 농담하는 게 귀여워."

'농담이 아니라 정말이야. 아아, 그 그림을 보여주고 싶다.'라는 헛도는 번민에 삐졌다가 문득 마음을

바꿔먹고서,

"만화 말야. 일단 만화라면 호리키보다는 잘할 거야."

근거도 없는 광대의 말을 진지하게 믿어주었습니다.

"그러네. 나도 실은 감탄했었어. 츠게코에게 항상
그려주는 만화, 저도 모르게 웃게 돼. 해보면 어때?
우리 잡지사 편집장한테 부탁해 볼게."

그 잡지사에서는 아동을 대상으로 한, 이름이 많이
알려지지 않은 월간 잡지를 발행하고 있었습니다.

......당신을 보면 여자 대부분은 어떻게든 해주고
싶어져. ......언제나 쭈뼛거리면서도 유머가
있는걸. ......때론 홀로 우울해 보이지만 그 모습이 더욱
여자의 마음을 간지럽혀.

그 외에도 이런저런 말을 덧붙이며 시즈코가
추켜세워도 그것이 놈팡이의 더러운 습성이라고
생각하면 그 때문에 더욱 '우울해질' 뿐이고, 전혀

기운이 나질 않았으며 여자보다는 돈이니, 일단 시즈코에게서 벗어나서 자활하고 싶다고 생각하며 이리저리 궁리를 해보아도 점점 더 시즈코에게 기댈 수밖에 없는 처지가 되어, 가출한 후 뒷정리 따위의 모든 부분을, 이 놈팡이를 주워온 야마나시 출신의 씩씩한 여자의 도움을 받게 되어 저는 시즈코에게 '쭈뼛'거릴 수밖에 없었습니다.

시즈코의 조처로 넙치, 호리키 그리고 시즈코 세 명의 회담이 성사되었고, 저는 고향에서 완벽하게 절연 당했으며 시즈코와 '공공연히' 동거하게 되었습니다. 그리고 시즈코가 이리저리 애써준 덕분에 제 만화도 의외로 돈이 되어, 저는 그 돈으로 술은 물론이고 담배도 살 수 있었는데 제 불안과 우울은 날로 깊어져 갈 뿐이었습니다. 그야말로 '가라앉고' 끝없이 '가라앉아' 시즈코의 잡지에 매월 언재만화 '긴타와 오타의 모험'을 그리고 있으면, 문득 고향 집이 떠오르며 황량한 느낌 탓에 펜의 움직임이 멈추고 고개 숙여 눈물을 떨군 적도 있습니다.

그러할 때 작은 구원이 된 것은 시게코였습니다. 시게코는 당시 아무것도 구애받지 않으며 절 '아빠'라고 불렀습니다.

"아빠. 기도하면 하느님이 뭐든 들어준다는 게 정말이야?"

저야말로 그 기도란 것을 하고 싶었습니다.

아아, 제게 냉철한 의지를 주옵소서. 제게 '인간'의 본질을 밝혀주옵소서. 인간이 인간을 밀어제쳐도 죄가 되지 않으리. 제게 분노의 가면을 주옵소서.

"응, 맞아. 시게에겐 뭐든 주시겠지만 이 아빠에겐 안 될지도 모르겠구나."

저는 신조차 두려워했습니다. 신의 사랑을 믿지

못하고 벌만 믿었습니다. 신앙. 그것은 신에게 채찍질을
당하기 위해 고개를 떨구고 재판대에 서 있는
기분이었습니다. 지옥은 믿을 수 있어도 천국의 존재는
아무래도 믿을 수가 없었습니다.

"왜 안 되는데?"

"부모님 말씀을 어겼거든."

"그래? 아빠는 정말 좋은 사람이라고 다들 말하는데."

그건 속이고 있으니까, 이 아파트에 사는 사람들
모두가 제게 호의를 보이는 것을 알고 있지만 제가
얼마만큼 모두를 두려워하고 있는지, 두려워할수록
호감을 샀고 호감을 살수록 공포에 떨며 그들에게서
멀어져야만 하는, 이 불행하고 나쁜 버릇을 시게코에게
설명하는 것은 난제 그 자체였습니다.

"시게는 하느님에게 뭘 부탁하고 싶니?"

저는 아무렇지도 않게 화제를 진환했습니다.

"시게코는 말야, 진짜 아빠가 갖고 싶어."

소름이 돋으며 어질어질 현기증이 났습니다. 적. 제가 시게코의 적인지, 시게코가 제 적인 건지, 아무튼 이곳에도 절 위협하는 두려운 어른이 있었던 것입니다. 타인, 불가해한 타인, 베일에 싸인 타인, 시게코의 얼굴이 얼마간 그런 식으로 보였습니다.

시게코만은 예외라고 생각했는데 이 자도 '불시에 등에를 때려죽이는 소의 꼬리'를 갖고 있었던 것입니다. 저는 그 이후로 시게코에게도 쭈뼛거리게 되었습니다.

"색마! 있나?"

호리키가 다시 제가 있는 곳을 찾아오게 되었습니다. 가출했던 그 날, 그만큼이나 절 서글프게 만든 사람인데 그런데도 저는 거부하지 못하고 희미하게 웃으며 맞이했습니다.

"네 만화는 나름 인기가 생기지 않았나. 아마추어에겐

무서운 걸 모르는 똥배짱이 있어서 대적할 수가 없다니깐. 하지만 방심하진 마. 데생이 글러 먹었으니까."

스승 같은 태도마저 보였습니다. 그 '괴물' 그림을 이 녀석에게 보여주었을 때 표정이 볼 만할 것이라는 헛된 공상을 하면서,

"뚫린 입이라고 잘도 말하는군. 무서워서 비명이 나오겠어."

호리키는 마침내 득의양양하게,

"처세라는 재능만으로는 언젠가 꼬리가 밟힐 테니까."

처세라는 재능. ......저는 진심으로 쓸쓸하게 웃을 수밖에 없었습니다. 이런 제게 처세라는 재능이라니! 하지만 저처럼 인간을 두려워하고 피하며 얼버무리는 건 속담에서 '긁어 부스럼 만들지 말라'는 교활하고 영리한 어느 교훈을 신봉한 결과라고 할끼요. 이이, 인긴은

서로에 대해 아무것도 모릅니다. 완전히 다른 걸 보면서 절친하고 유일무이한 친구인 척하며 평생 그걸 모르고, 상대방이 죽으면 울면서 조문 따위를 읊고 있는 것이 아닙니까?

호리키는 어차피(그건 시즈코에게 억지로 부탁받아 마지못해 수락한 게 분명한데) 제가 가출한 후 뒷수습을 할 때 입회한 사람이었기에 이젠 제 갱생의 엄청난 은인이나 월하빙인月下氷人 [18] 처럼 행동하며, 그럴싸한 얼굴로 제게 설교를 하거나 술에 취해 심야에 찾아와서는 묵거나 그것도 아니면 5엔(반드시 5엔이었습니다.)을 빌려 갔습니다.

"하지만 오입질도 정도껏 해야지. 이 이상은 세간이 용서하지 않을 테니까."

세간이란 대체 무엇입니까? 여러 인간을 말하는 것입니까? 어디에 그 세간이라는 것의 실체가 있는 겁니까? 아무튼 강하고 엄격하고 무서운 것이라고만 생각하며 그때까지 살아왔으나 호리키에게 그런 말을 들으니 문득,

'세간이라는 건 널 말하는 게 아닌가?'

하는 말이 혀끝까지 나왔다가 호리키를 화나게 하기 싫어서 꿀꺽 삼켰습니다.

(그건 세간이 용서치 않아.)

(세간이 아니야. 네가 용서 못 하는 거지?)

(그런 일을 하면 세간에서 험한 꼴을 볼걸?)

(세간이 아니야. 너지?)

(곧 세간이 널 매장할 거다.)

(세간이 아니야. 매장하는 건 너잖아?)

그대는 그대 자신의 두려움, 기괴함, 악랄함, 능구렁이 같은 성격, 요괴 할망구의 성향을 알라! 이런 식으로 여러 말들이 마음속에서 오갔으니 지는 그저 일굴의

땀을 손수건으로 닦으며,

"식은땀, 식은땀."

하고 말하며 웃었을 뿐입니다.

하지만 그때 이후 저는 '세간이란 개인'이라는 사상과도 닮은 생각을 하게 되었습니다.

그리고 그렇게 생각하기 시작하고 나서 이제까지와 다르게 조금은 자신의 의지로 움직일 수 있게 된 것 같습니다. 시즈코의 말을 빌리자면 저는 조금 제멋대로 행동하게 되었고 쭈뼛거리지 않게 되었습니다. 그리고 호리키의 말을 빌리자면 이상하게 쪼잔해졌습니다. 마지막으로 시게코의 말을 빌리자면 시게코를 그다지 귀여워하지 않게 되었습니다.

웃지 않고 과묵하게 하루하루 시게코를 돌보면서 '긴타와 오타의 모험'과 '태평한 아빠'의 명백한 아류작인 '태평한 스님', '성질 급한 핑'이라는 영문을 알 수 없는 자포자기한 타이틀을 단 연재만화를 각 출판사의 지시(드문드문 시즈코의 잡지사 외에도 일이 들어오게 되었는데, 전부 시즈코의 잡지사보다도 좀 더 저급한 이른바 삼류 출판사뿐이었습니다.)에 따라 이루 말할 수 없는 음울한 기분으로, 꾸물거리며(제 붓 놀림은 상당히 느린 편이었습니다.) 지금 당장 술값이 필요해서 그림을 그렸고, 시즈코가 잡지사에서 돌아오면 교대로 밖에 나가 고엔지 역 근처에 있는 포장마차나 스탠드 바에서 싸고 강한 술을 마시며 조금 밝아져서는 아파트로 돌아와,

"보면 볼수록 이상한 얼굴이야, 넌. '태평한 스님'은 실은 네가 잠든 얼굴에서 힌트를 얻었지."

"당신이 자는 얼굴은 많이 삭았어요. 사십 대 같아."

"네 탓이야. 빨렸지. 흐르는 물과 사람 몸은 말야. 강기에시 시름에 잠긴 버드나무지[19]. "

"시끄럽게 굴지 말고 어서 자요. 아니면 식사할래요?"

그녀는 냉정하게 전혀 상대해주지 않습니다.

"술이라면 마시지. 흐르는 물과 사람 몸은 말야. 사람의 흐름과, 아니지, 물의 흐르음과 물의 몸은 말야."

노래를 부르는데 시즈코가 옷을 벗겼고, 시즈코의 가슴에 이마를 묻으며 잠드는 그것이 제 일상이었습니다.

그다음 날도 같은 걸 반복하며

어제와 다름없는 통념을 따르면 돼.

거칠고 커다란 환락을 피하기만 한다면

자연히 커다란 비애도 찾아오지 않으리니.

앞길을 가로막는 사악한 돌을

두꺼비는 우회한다네.

우에다 빈上田敏이 번역한, 기 샤를르 크로 Guy Charles
Cros 라는 사람의 이런 시구를 발견했을 때, 저는 홀로
얼굴이 불타오를 정도로 상기되었습니다.

두꺼비.

(그것이 나다. 세간이 용납하고 말고가 아니다.
매장하고 말고도 없다. 나는 개나 고양이보다 열등한
동물이다. 두꺼비. 꼼지락거리며 움직일 뿐이다.)

서서히 술이 늘어갔습니다. 고엔지 역뿐만 아니라
신주쿠, 긴자에도 가서 술을 마시며 외박을 한 적도
있었고, 다시는 '통념'에 따르지 않으려고 바에서
무뢰한인 척을 하거나 한쪽 구석에서 키스하는 등 다시
말해, 다시 그 정사情死 이전의, 아니 예전보다 더 거칠고
야비한 주당이 되었고, 돈에 쪼들려 시즈코의 의류를
훔치기까지 했습니다.

이때는, 찢어졌던 얏코타로를 보면서 씁쓸하게 웃은

지 1년 이상이나 지난 시점이었고, 벚꽃 잎이 돋아나는 시기에 저는 또다시 시즈코의 옷가지를 몰래 훔쳐 전당포에서 돈으로 바꾸어 긴자에서 술을 마셨고, 이틀을 연이어 외박하고 사흘째 되던 밤, 아니나 다를까 몸이 안 좋아져서 무의식적으로 발걸음을 옮겨 시즈코의 방 앞에 갔을 때, 안에서 시즈코와 시게코의 대화 소리가 들렸습니다.

"술은 왜 마시는 거야?"

"아빠는 말야, 술을 좋아해서 마시는 게 아니란다. 너무 좋은 사람이라서, 그래서, ……."

"좋은 사람은 술을 마시는 거야?"

"그렇지는 않지만, ……."

"아빤 분명 놀라겠지?"

"싫어할지도 모르지. 저거 봐, 상자에서 튀쳐나왔다."

"성미 급한 핑 같네."

"그러네."

진정으로 행복해 보이는 시즈코의 낮은 웃음소리가 들려왔습니다.

제가 문을 조금 열어 안을 들여다보니 새끼 흰 토끼였습니다. 폴짝폴짝 방안을 뛰어다니는 걸 모녀가 쫓고 있었습니다.

(행복하구나, 이 사람들은. 나라는 바보가 이 둘 사이에 끼어들어 여태껏 둘을 엉망으로 만들었군. 소박한 행복. 바람직한 모녀. 행복을, 아아 만일 하느님이 나 같은 인간의 기도를 들어준다면 한 번만, 일생에 단 한 번이라도 좋으니 기도한다.)

저는 그곳에 우두커니 서서 합장하고 싶은 마음이었습니다. 살며시 문을 닫고서 다시 긴자로 돌아가 이후 그 아파트에는 돌아가지 않았습니다.

그리고 저는 다시 교바시京橋 근처에 있는 스탠드바 이
층에서 놈팡이의 형태로 눌러앉기로 했습니다.

　　세간. 아무래도 그걸 어렴풋하게나마 알 수 있을 것
같았습니다. 개인과 개인의 싸움이나 싸움판이 벌어진
그 자리에서 이기기만 하면 된다, 인간은 결코 인간에게
복종하지 않는다, 노예조차 노예다운 비겁한 앙갚음을
하는 것이다, 그러니 인간은 당면한 단판 승부에 기대는
것 외에 살아남을 방법에 생각이 닿지 않는 것이다,
대의명분 비슷한 것을 주창하면서도 노력의 목표는
반드시 개인, 개인을 뛰어넘어 또다시 개인, 세간의
난해함은 개인의 난해함, 대양大洋은 세간이 아니라
개인이라고, 세상이라는 거대한 바다의 환영을
두려워하는 것에서 다소 해방되어, 예전만큼 이것저것
눈치 보지 않고 당장 필요에 따라 얼마간 낯두껍게
처신하는 법을 배운 것입니다.

고엔지의 아파트를 버리고 교바시의 스탠드바 마담에게,

"헤어지고 왔어."

그 말만 하면 그걸로 충분했고 다시 말해, 단판 승부는 끝났으며, 그날 밤부터 저는 난폭하게도 그곳 이층에 묵게 되었는데, 두려움의 대명사였던 '세간'은 제게 아무런 위해를 가하지 않았고 저도 '세간'에 대해 아무 변명도 하지 않았습니다. 마담이 그럴 생각이면 그걸로 모든 게 끝이었습니다.

저는 그 가게의 손님이기도 했고 주인이기도 했으며 심부름꾼이기도 했고 친척인 것 같기도 했으니, 옆에서 보면 정체불명의 존재였음에도 불구하고 '세간'은 눈곱만큼도 의심하지 않았고, 그 가게의 단골도 절요우라고 부르며 친절하게 대했으며 술을 먹도록 해주었습니다.

세상에 대한 제 경계심은 서서히 사라졌습니다. 세상이라는 곳은 그리 두려운 곳이 아니라고 생각하게 되었습니다. 다시 말해, 그때까지의 제 공포심은 봄바람엔 백일해 세균이 수십만, 공중목욕탕에는 실명을 일으키는 세균이 수십만, 이발소에는 탈모가 되는 세균이 수십만, 쇼센省線 열차 [20] 손잡이에는 옴벌레가 우글우글, 혹은 회나 소고기, 설익은 돼지고기에는 촌백충의 유충이나 디스토마 따위의 알들이 반드시 숨어 있고, 맨발로 걸으면 발바닥을 통해 작은 유리 파편이 침투하여 그 파편이 체내를 돌아다니다가 눈알에 도달하여 실명시키는 일도 있다고 하는 이른바 '과학의 미신'에 위협당하고 있는 것과 같았습니다. 확실히 수십만 세균이 떠다니며 헤엄치고 꿈틀대고 있는 건 '과학적'으로 사실이겠죠. 그와 동시에 그 존재에 대해 묵살하는 순간 그건 자신과 관계가 없어지고 즉시 사라지는 '과학의 유령'에 불과하다는 것도 알게 되었습니다. 도시락 뚜껑에 붙은 먹다 남긴 세 톨의 쌀알, 천만인이 하루에 세 톨씩 먹다 남기기만 해도 쌀 몇 섬을 아깝게 버린 것이 된다거나, 천만인이 하루에 휴지 한 장씩을 절약하면 펄프가 많이 절약된다고 하는 '과학적 통계' 따위에 심히 위협당했고, 밥을 한 톨이라도 남길 적마다 그리고 코를 풀 때마다 산만한 쌀과 나무를 낭비하고 있다는 착각으로 고뇌하며, 제가 중대한 죄를 짓고 있는 것 같은 어두운 기분에 휩싸였는데, 그거야말로 '과학의 거짓말', '통계의 거짓말', '수학의 거짓말'이며, 밥풀은 모을 수 있는 것이 아니고 곱셈과 나눗셈의 응용문제로도 원시적이고 저능한 테마이며, 전기가 들어오지 않는 어두운 화장실에서 사람이 변기 구멍에 한쪽 다리를 삐끗하여 낙하하는 빈도는 또 어떠한가, 아니면 열차 출입구와 플랫폼

끄트머리의 틈새에 승객 중 몇 명이 발을 헛디디는 확률을 계산하는 것처럼, 바보 같고 있음 직해 보이지만 변기 구멍에서 다쳤다고 하는 일례는 전혀 들은 바가 없으며, 그런 가설을 '과학적 사실'로 주입 당하여 완벽한 현실로 받아들이며 공포를 느끼고 있던 어제까지의 자신이 가여워 웃고 싶어질 정도로 저는 세상이라는 것의 실체를 조금씩 배워왔다고 할 수 있습니다.

이렇게 말해도 여전히 인간이라는 게 두려웠고 가게 손님과 만나는 것도 술을 컵으로 한 잔 마신 후가 아니면 힘들었습니다. 무서운데도 이상하게 보고 싶어지는 마음. 저는 그런데도 매일 밤 가게에 나가서, 어린애가 실제로는 무서워하는 작은 동물을 도리어 강하게 꽉 움켜쥐게 되는 것처럼, 술에 취하여 가게 손님을 향해 졸렬한 예술론을 쏟아내었습니다.

만화가. 아아, 하지만 저는 그다지 기쁠 일도 슬플 일도 없는 무명의 만화가. 아무리 커다란 슬픔이 나중에 찾아와도 좋으니 맹렬하게 큰 기쁨을 원한다고 내심 초조해해도, 현재의 제 기쁨이라는 것은 손님과 영양가 없는 말을 나누며 그들의 술을 마시는 것뿐이었습니다.

교바시에 와서 이런 별 볼 일 없는 생활을 이미 일 년 가까이 이어갔고, 제 만화는 아동을 대상으로 한 잡지뿐 아니라 역에서 판매하는 조악하고 외설적인 잡지에도 실리게 되었으며, 저는 죠시 이키타上司幾太[21] 라고 하는 웃기지도 않는 필명으로 추잡한 나체 그림 따위를 그렸고, 대체로 그것에 루바이야트 Rubáiyát[22] 의 시구를 삽입했습니다.

의미 없는 기도 따위 관두라

눈물을 부채질하는 것 따위 밀어 버리라

좋은 일만 생각하며 일단 한 잔 마시자

무익한 배려 따위 잊으라

불안과 공포로 인간을 위협하는 놈들은

스스로 만들어낸 가당찮은 죄를 두려워하며

죽은 자의 복수를 대비하겠다고

끊임없이 계책을 짜낸다

어젯밤 만취해 내 마음은 기쁨으로 넘쳐나고

오늘 아침 깨어나니 그저 황량

의심스러운 하룻밤

모습을 바꾸는 이 기분이란

천벌 따위 생각하는 건 관두게나

멀리서 들리는 북소리처럼

아무튼 그놈은 불안하다

방귀 뀐 것까지 하나하나 죄로 치면 방도가 없다

정의가 인생의 지침이던가

굿바이, 피범벅인 전장에

암살자의 칼날에

무슨 정의가 있단 말인가

그 어디에 지도 원리가 있으랴

어떠한 예지적 빛이 있으랴

아리따우면서 두려운 건 속세일지니

가련한 사람의 아이는 짊어지지 못할 짐을 지고

어찌하지 못하는 정욕의 씨앗이 심어졌을 뿐

선과 악이니 죄와 벌이니 저주받을 뿐

어찌하지 못하며 그저 갈팡질팡할 뿐

타파할 힘도 의지도 사사받지 못하고

어딜 그렇게 떠돌았단 말인가

무슨 비판 검토 재확인?

덧없는 꿈을, 있지도 않은 환영을

술을 잊어서야 모두 허세인 사안이지

어떤가, 끝도 없는 드넓은 하늘을 보라

이 안에 달랑 하나 떠 있는 점이지

지구가 어째서 자전하는지 알 게 뭔가

자전 공전 반전도 멋대로라지

도처에서 지고한 힘을 느끼며

모든 국가에 온갖 민족에게

동일한 인간성을 발견한다

나는 이단자던가

다들 성경을 잘못 읽고 있다

그렇지 않다면 상식도 지혜도 없다

육신의 기쁨을 금하고 술을 끊으며

좋지 선택받은 자, 난 그런 게 정말 싫다[23]

하지만 당시 제게 술을 끊으라고 권한 처녀가 있었습니다.

"이러면 안 돼요. 매일같이 낮부터 취해 계셔."

바 맞은편에 있는 열일곱 여덟 난 담배 가게 처자었습니디. 이름은 요시라고 해서 살결이 희고

덧니가 있었습니다. 제가 담배를 사러 갈 때마다 웃으며 충고했던 것입니다.

"왜 안 되는데. 뭐가 나쁘다는 거야. 있는 만큼 술을 마시고, '사람의 아이여, 증오를 지우라 지우라 지우라.'라고들 하잖아. 옛 페르시아에서 말이지, 흐음 관두지, 슬픔에 지친 마음에 희망을 가져오려면 그저 거하게 취할 수 있는 옥잔이 되라고들 하잖아. 알겠니?"

"몰라."

"이놈. 키스해버릴라."

"해봐요."

전혀 주눅 들지 않고 아랫입술을 내밉니다.

"바보 자식. 정조 관념, ……."

하지만 요시의 표정에는 확연하게 그 누구에게도 더렵혀지지 않은 처녀의 향기가 났습니다.

새해가 밝아왔고 엄동설한의 어느 밤, 저는 취해서

담배를 사러 나갔다가 담배 가게 앞 맨홀에 떨어져서,

"요시, 구해줘."라고 외쳤고, 고맙게도 요시가 끌어올려

주고는 오른쪽 팔에 난 상처 치료를 해주며 진지하게,

　"그러게 너무 마신다니까요."

　라고 웃지 않고 말했습니다.

　저는 죽는 건 아무렇지도 않았지만 다쳐서 출혈이

생기고 불구자 따위가 되는 건 절대로 싫었기에,

요시에게 상처 치료를 받으면서 술도 이제 적당히

해야겠다고 생각했습니다.

　"끊을게. 내일부터 한 모금도 안 마실 거야."

　"정말로?"

　"반드시 끊겠어. 끊는다면 요시야, 내 아내가

되어주겠니?"

　하지만 아내에 대한 것은 농담이었습니다.

　"당산이지."

당삼이라는 건 '당연'하다는 의미였습니다. 당시 여러 단어가 유행 했습니다.

"좋았어. 손가락 걸자. 반드시 끊을 거야."

그리고 다음 날 저는 아니나 다를까 낮부터 술을 마셨습니다.

저녁 무렵 어슬렁어슬렁 밖에 나가 요시의 가게 앞에 서서,

"요시야 미안. 마셔버렸네."

"어머 싫어라. 취한 척을 다 하고."

화들짝 놀랐습니다. 술기운이 가신 기분이었습니다.

"아니 정말이야. 정말로 마셨어. 취한 척을 하는 게 아니야."

"놀리지 말아요. 사람 참 나쁘네."

전혀 의심하려고 하지 않았습니다.

"보면 알겠지. 오늘도 낮부터 마셨어. 용서해."

"연기를 잘하는구나."

"연기가 아니야, 바보 자식. 키스해버릴라."

"해봐."

"아니 난 자격이 없어. 아내로 맞이하는 것도 포기해야만 해. 얼굴을 봐라, 빨갛잖아? 마셨다니까."

"그야 석양이 비추고 있으니까. 속이려고 해봤자야. 어제 약속했는걸. 마실 턱이 없잖아. 손가락을 걸었는걸. 술을 마셨다니 거짓말 거짓말 거짓말."

어둑어둑한 가게 안에 앉아서 미소 짓고 있는 요시의 하얀 얼굴, 아아, 더러움을 모르는 버지니티 Virginity 는 존귀하다. 난 여태껏 나보다 젊은 처녀와 잔 적이 없다. 결혼하자. 그 때문에 커다란 슬픔이 찾아온대도 상관없어. 일평생 단 한 번이라도 좋으니 맹렬할 정도로 커다란 기쁨을 다오. 처녀성의 아름다움이란 멍청한 시인의 달콤하고 감상적인 횐영에 불과하다고

생각했지만 역시 세상에 살아 존재하는군. 결혼하고 봄이 되면 둘이서 자전거로 아오바노타키青葉の滝[24]를 보러 가자고 즉시 결의하고, 이른바 '단판 승부'로 그 꽃을 훔치는 데 주저하지 않았습니다.

그러고 나서 우리는 곧 결혼했고, 그것으로 얻은 기쁨은 꼭 커다란 것은 아니었지만 그 후에 온 슬픔은 비참하다고 해도 부족할 정도로, 상상을 초월하여 크나크게 찾아 들었습니다. 제게 '세상'은 역시 끝 모르게 두려운 곳이었습니다. 결코 단판 승부 따위로 모든 것을 아울러 결정지을 수 있을 만큼 만만한 곳도 아니었습니다.

호리키와 나.

서로를 경멸하며 어울리고, 서로를 하찮게 만들어가는 그것이 세상에서 말하는 '교우'의 모습이라면 저와 호리키의 관계는 의심할 나위 없는 '교우'임이 분명했습니다.

제가 교바시에 있는 스탠드바 마담의 의협심에 의지하여(여성의 의협심이라니, 말이 묘하게 잘못된 것 같지만 제 경험에 의하면 적어도 도시 사람의 경우, 남자보다는 여자가 의협심이라고 할 만한 것을 제대로 갖추고 있었습니다. 남자는 대체로 흠칫거리며 빈말만 늘어놓았고 옹졸했습니다.) 담배 가게 요시코를 아내로 맞이할 수 있었고, 스미나가와 근방 스키지築地에 목조

이층집의 작은 아파트 아래층 방 하나를 빌려 둘이서 살면서, 술을 끊고 슬슬 자신이 결정한 직업인 만화를 그리는 일에 매진했고, 저녁 식사 후에는 둘이서 영화를 보러 나갔다가 귀갓길에 찻집에 들러 꽃 화분을 사거나 아니, 그보다도 절 마음으로부터 신뢰하고 있는 이 조그마한 아내의 말을 듣고 동작을 보고 있는 것이 즐거웠으며, 이거 어쩌면 얼마 안 있어 저도 점차 인간다워지며 비참한 죽음을 맞지 않고 끝날지도 모르겠다고 하는 안일한 생각으로 희미하게 가슴을 데우기 시작하던 찰나에 호리키가 다시 제 눈앞에 나타났습니다.

"색마! 얼레? 어느 정도 분별이 있어 뵈는 얼굴이 되었군그래. 오늘은 고엔지 여사가 보낸 심부름꾼으로 왔는데."

라고 운을 떼며 갑자기 목소리를 죽이고 부엌에서 차

준비를 하는 요시코 쪽을 턱으로 가리키며 "괜찮나?"
하고 물었기에,

"상관없어. 무슨 일인데?"

라고 차분하게 대답했습니다.

실제로 요시코는 신뢰의 천재라고 말하고 싶어질
정도로, 교바시 바의 마담과의 관계는 물론이고
가마쿠라에서 일으킨 사건을 말해도 츠네코와의 관계를
의심하지 않았으며, 제가 거짓말을 잘해서 그런 게
아니라 때로는 노골적으로 말했던 적도 있음에도
요시코에게는 모조리 농담으로밖에 들리지 않는
모습이었습니다.

"여전히 젠체하기는. 별 건 아닌데 가끔은 고엔지에도
놀러 오라고 하는 전언이야."

잊을 만하면 기괴한 새가 날갯짓하며 찾아와 기억의
상처를 주둥이로 파헤칩니다. 갑작스레 과거의 수치와

죄의 기억이 눈앞에 여실히 전개되어 크게 소리 지르고 싶은 공포로 인해 가만히 앉아 있을 수가 없었습니다.

"술 좀 할까?"

라는 저.

"좋지."

라는 호리키.

저와 호리키. 모습은 둘이 닮았습니다. 똑 닮은 인간 같다는 기분이 든 적도 있습니다. 물론 그것은 이리저리 싸구려 술을 마시며 돌아다니고 있을 때뿐이지만, 아무튼 만나기만 하면 순식간에 동일한 모습을 한 같은 종류의 개로 변하여 눈 내리는 시가지를 휘젓고 다니는 상황이 펼쳐졌습니다.

그날 이후 우리는 재차 옛정을 새로이 하겠다는 모습으로 교바시에 있는 작은 바에도 함께 갔고, 결국은 고엔지에 있는 시즈코의 아파트에도 만취한 두 마리의 개가 방문하여 묵고 돌아가는 일마저 저지른 것입니다.

　잊지도, 못합니다.　후텁지근한　여름밤이었습니다. 호리키는 해질녘에 후줄근한 유카타를 입고 츠키지에 있는 우리 아파트에 찾아와서 필요에 의해 여름옷을 전당포에 잡혔는데, 노모에게 알려지면 정말 난처해서 곧장 돌려받고 싶으니 아무튼 돈을 빌려달라고 하는 것이었습니다. 안타깝게도 저 역시 가진 돈이 없었기에 여느　때처럼　요시코에게　분부하여　요시코의　옷을 전당포에　가지고　가서　돈을　만들어　호리키에게 빌려주었는데,　돈이　조금　남았기에　그　잔금으로 요시코에게　소주를　사　오게　하여　아파트　옥상으로 올라갔고,　때때로　스미다가와隅田川에서　희미하게 불어오는, 시궁창 냄새가 나는 바람을 맞으며 진정으로 너저분한 납량 파티를 열었습니다.

　우리는　그때　희극명사,　비극명시　알아맞히기를

시작했습니다. 이것은 우리가 발명한 놀이로서 명사는 모두 남성명사, 여성명사, 중성명사 따위로 구별하지만 그와 동시에 희극명사, 비극명사의 구별이 있어야 마땅하다고 하는 것으로, 이를테면 기선과 기차는 비극명사고 열차와 버스는 희극명사가 되는데 어째서 그러한가 하면, 그걸 모르는 자는 예술을 논할 자격이 없고, 희극에 비극명사를 하나라도 끼워 넣은 극작가는 그것만으로도 이미 낙제, 비극도 마찬가지라고 하는 식이었습니다.

"준비됐나? 담배는?"

하고 제가 물었습니다.

"비극."

이라고 호리키가 즉시 대답합니다.

"약은?"

"분말약인가? 알약인가?"

"주사."

"비극."

"그런가? 호르몬 주사도 있긴 하니."

"아니, 당연히 비극이지. 애초에 바늘이라는 건 엄연히 비극이 아닌가."

"좋아, 그렇다고 해두지. 하지만 약이나 의사는 말이야. 의외로 희극이라고. 죽음은?"

"희극. 목사도 스님도 그게 그거 아냐?"

"아주 좋군. 그리고 삶은 비극인가."

"아냐. 그것도 희극."

"아니, 이래서야 뭐든 전부 희극이 되고 말겠어. 하지만 말이야, 또 하나 묻고 싶은데 만화가는? 설마 희극이라고 하진 않겠지?"

"비극, 비극. 최고의 비극명사!"

"뭐야 최고의 비극은 너겠지."

이렇게 어중간한 말장난처럼 되어서야 재미가 없지만 우리는 이 놀이를 전 세계의 어느 살롱에서도 찾아볼 수 없는 재치 있는 놀이라며 득의양양 했습니다.

그리고 하나 더, 그와 비슷한 놀이를 발명했습니다. 그것은 반의어 알아맞히기입니다. 검정의 반의어는 하양. 그러나 하양의 반의어는 빨강. 빨강의 반의어는 검정.

"꽃의 반의어는?"

하고 제가 물으면 호리키는 입꼬리를 내리며 생각하고는, "흐음, 꽃달이라는 요리점이 있었으니까 달이다."

"아니 그건 반의어가 안 되지. 도리어 동의어다. 별과 제비꽃[25]도 동의어가 아닌가? 반의어가 아니야."

"알았어, 그러면 벌이다."

"꿀벌?"

"모란에, ...개미인가?"

"뭐야, 그건 모티브잖아. 대충 속이면 안 되지."

"알았다! 꽃에 떼구름, ..."

"달에 떼구름이겠지."

"그래 그거. 꽃에 바람. 바람이다. 꽃의 반의어는 바람."

"안 되겠는데, 그건 나니와부시浪花節[26]의 구절이 아닌가. 내력이 뻔하잖아."

"그러면, 비파다."

"더 안 되지. 꽃의 반의어는 말이야, ...대략 이 세상에서 가장 꽃답지 않은 것, 그거야말로 대답이 돼야겠지."

"그러니까, 그, ...기다려 봐, 뭐야 여자인가."

"참고로 여자의 동의어는?"

"내장."

"너는 아무래도 시를 전혀 모르는 것 같군. 그러면

내장의 반의어는?"

"우유."

"이건 좀 제대로군. 그런 식으로서 하나 더. 수치.
온토 Honte 의 반의어."

"철면피겠지. 유행 만화가 죠시 이키타."

"호리키 마사오는?"

이쯤 되니 우리에게 서서히 웃음이 사라졌고, 유리
파편이 머리에 충만한 듯한, 소주에 취한 특유의 음울한
기분에 휩싸인 것입니다.

"건방진 소리 마. 난 아직 너처럼 오랏줄에 포박당한
수치 따위는 겪은 적이 없다고."

마음이 철렁 내려앉았습니다. 호리키는 속으로 날
제대로 된 인간 취급을 하지 않고 있었던 거다. 그저
죽지 못한 철면피에 바보 같은 괴물인, '살아 있는
시체'라고만 해석하고, 그의 쾌락을 위해 날 이용할 수

있는 만큼 이용할 뿐인 '교우'였던 거라고 생각했더니 그야 기분이 좋은 건 아니었으나, 호리키가 절 그런 식으로 보고 있는 것도 타당한 이야기에다 전 예전부터 인간 자격이 없어 보이는 아이였으니 호리키에게도 경멸당하는 게 지당할지도 모른다고 생각을 고쳐먹고는,

"죄. 죄의 반의어는 뭘까? 이건 어렵다고."

라고 아무렇지도 않은 듯한 표정을 꾸며내며 말했습니다.

"법률이지."

호리키가 태연히 그렇게 대답했기에 저는 호리키의 얼굴을 새삼 보았습니다. 가까운 빌딩에 명멸된 네온사인의 붉은 빛을 받아 호리키의 얼굴은 귀신 형사처럼 위엄 있어 보였습니다. 저는 완전히 질려서,

"죄라는 건 그런 게 아니잖아."

죄의 반의어가 법률이라니! 하지만 세상 사람들은

모두 그렇게 적당히 생각하고 시치미를 떼며 살고 있는지도 모릅니다. 형사가 없는 곳에서 죄가 꿈틀대고 있다고.

"그러면 뭐야, 신인가? 넌 예수나 스님 같은 부분이 있으니까. 아니 맞이지."

"그렇게 가볍게 단정하지 마. 좀 더 둘이서 생각해보자고. 그래도 이건 재미있는 테마가 아닌가. 이 테마에 대한 대답 하나로 그 사람의 모든 걸 알 수 있을 것 같아."

"설마. ......죄의 반의어는 선이지. 선량한 시민. 즉, 나 같은 사람이지."

"농담은 관두라고. 하지만 선은 악의 반의어다. 죄의 반의어가 아니야."

"악과 죄는 다른가?"

"다른 것 같아. 선악의 개념은 인간이 만든 거야.

인간이 멋대로 만든 도덕적 잣대지."

"말이 많군. 그러면 역시 신이잖아. 신, 신. 뭐든 신으로 해두면 틀림없어. 배가 고프군."

"지금 아래서 요시코가 누에콩을 찌고 있어."

"고맙군. 좋아하는 거다."

양손을 머리 뒤로 끼고 위를 보며 아무렇게나 누웠습니다.

"넌 죄라는 것에 전혀 관심이 없어 보이는군."

"그야 그렇지, 너처럼 죄인이 아니니까. 난 도락은 즐겨도 여자를 죽게 만들거나 여자에게 돈을 강탈하는 짓은 안 해."

마음 어딘가에서 '죽게 한 것이 아냐, 강탈한 게 아냐.'라고 하는 희미하지만 필사적으로 항의하는 목소리가 일어도, 금세 자신이 잘못했다고 태세전환을 하는 이 습관.

저는 아무래도 대놓고 논쟁할 수 없었습니다. 소주의 음울한 취기 탓으로 시시각각 기분이 험악해지는 걸 열심히 억눌러가며 거의 혼잣말처럼 말했습니다.

"하지만 감옥에 들어가는 것만이 죄가 아니야. 죄의 반의어를 알 수 있다면 죄의 실체도 잡아낼 수 있을 것 같아. 신, 구원, 사랑, 빛……. 하지만 신에게는 사탄이라고 하는 반의어가 있고 구원의 반의어는 고뇌일 테고, 사랑에는 증오, 빛에는 어둠이라고 하는 반의어가 있으며 선에는 악, 죄와 기도, 죄와 회한, 죄와 고백, 죄와, ……아아 모두 동의어다, 죄의 상대어는 뭐지."

"죄의 상대어는 꿀[27]이지. 꿀처럼 달콤해. 출출하군. 뭔가 먹을 것 좀 내 와."

"네가 가져오면 되잖나!"

태어나서 거의 처음이라고 해도 좋을 정도로 격렬하게 분노하는 목소리를 냈습니다.

"어, 그러면 밑에 가서 요시와 둘이서 죄를 범하고 오지. 논쟁보다 실지 답사. 죄의 반의어는 꿀콩, 아니 누에콩이었던가."

혀가 거의 돌아가지 않을 정도로 취했습니다.

"멋대로 해. 저리 가 버려!"

"죄와 공복, 공복과 누에콩, 아니지 이건 동의어인가."

그는 엉터리 소리를 지껄이며 일어납니다.

죄와 벌. 도스토옙스키. 잠시 그것이 뇌리 한쪽을 스쳐 지나가며 떠올랐습니다. 만일 그 치가 죄와 벌을 동의어라고 생각하지 않고 반의어로 분류했다면? 죄와 벌, 절대로 상통할 수 없는 것, 물과 기름처럼 조화되지 않는 것. 죄와 벌을 반의어로 생각한 그의 창백함, 썩은 연못, 난마亂麻 깊은 곳의, ...아아, 알 것 같다, 아니, 아직, ...따위의 주마등이 머릿속에서 빙글빙글 돌고 있던 차에,

"이봐! 뭐 이런 누에콩이 다 있어. 이리 좀 와

보라고!"

호리키의 목소리도, 얼굴색도 변했습니다. 조금 전

흐느적거리며 일어나서 아래층으로 내려갔다 싶었는데

다시 돌아왔던 것입니다.

"뭐야."

이상하게 비장한 분위기가 흘렀고, 함께 옥상에서

아래층에 있는 제 방으로 내려가는 계단 중간에서

호리키가 멈춰서더니,

"저것 보라고!"

하며 작은 소리로 말하며 가리킵니다.

제 방에 작은 창문이 열려 있었고 그곳을 통해 방안이

보입니다. 불이 켜져 있는 곳에 두 마리의 동물이

있었습니다.

저는 어질어질 현기증이 나면서, '이것 또한 인간의

모습이다, 이것 또한 인간의 모습이다. 놀랄 것 없다.'
따위를 격렬한 호흡과 함께 마음속으로 중얼거리며,
요시코를 구해야 한다는 것마저 잊고서 계단에 우두커니
서 있었습니다.

호리키는 크게 헛기침을 했습니다. 저는 홀로
도망치듯이 다시 옥상으로 뛰어 올라가 널브러져서는
비를 머금은 여름 밤하늘을 올려다보았고, 그때 절
덮쳐온 감정은 분노도 아니고 혐오도 아니며 슬픔도
아닌 무지막지한 공포였습니다. 그것도 묘지의 유령
따위에 대한 공포가 아닌, 진자神社의 삼나무 숲에서
흰옷을 입은 신을 만났을 때 느낄지도 모를, 의심할
여지 없는 고대의 어마어마한 공포감이었습니다. 제
새치는 그날 밤부터 시작되었고 결국 모든 것에
자신감을 잃었으며 드디어 사람을 끝 모르게 의심하여
세상일에 대한 모든 기대, 기쁨, 공명 따위에서 영원히 멀어졌습니다. 사실 그것은 제 삶에서 결정적인 사건이었습니다. 저는 이마 한가운데에서 미간이 갈라졌고, 그 후 그 상처는 사람에게 접근할 때마다 욱신거렸습니다.

"동정은 하지만 너도 이걸로 조금은 깨닫는 바가 있겠지. 이제 난 두 번 다시 여기 안 올 거다. 정말이지 지옥이 따로 없군. ......하지만 요시는 용서해줘. 어차피 너 역시 제대로 된 놈이 아니잖아? 실례하지."

거북한 곳에 오래 있을 만큼 얼빠진 호리키가 아니었습니다.

저는 일어나서 홀로 소주를 마셨고 그러고 나서 꺼이꺼이 소리 내어 울었습니다. 끊임없이, 끊임없이 울 수밖에 없었습니다.

어느샌가 등 뒤에 요시코가 누에콩을 산처럼 쌓은 접시를 들고 가만히 서 있었습니다.

"아무 짓도, 안 한다고 했는데, ……."

"됐어. 아무 말도 하지 마. 넌 남을 의심할 줄 모르니까. 앉아. 콩을 함께 먹자."

나란히 앉아 콩을 먹었습니다. 아아, 신뢰는 죄일지니? 상대 남자는 제게 만화를 의뢰하고는 거드름을 피우며 얼마 안 되는 돈을 두고 가는, 무학無學에 서른 전후인 왜소한 장사치였습니다.

당연히 그는 그 후 찾아오지 않았지만 저는 그 상인에 대한 증오보다도 처음 발견한 바로 그때 커다란 헛기침이나 기척을 내지 않고 그대로 제게 알리겠다고 다시 옥상으로 돌아왔던 호리키에 대한 증오와 분노가 잠들지 못하는 밤에 솟구쳐 올라와서 신음했습니다.

용서하고 말고도 없습니다. 요시코는 신뢰의 천재였습니다. 남을 의심할 줄 몰랐던 것입니다. 하지만 그 탓에 비참.

하느님께 묻사오니. 신뢰는 죄입니까?

요시코가 더럽혀졌다는 사실보다도 요시코의 신뢰가 더럽혀졌다는 것이 그 후 살아 있을 수 없을 정도로 영원토록 고뇌의 씨앗이 되었습니다. 비루하게 쭈뼛거리며 남의 얼굴색만 살피고 사람을 믿는 능력에 금이 가 있는 저 같은 자에게 요시코의 천진무구한 신뢰는 그야말로 폭포처럼 맑고 청명했던 것입니다. 그랬던 것이 하룻밤 사이에 누런 오수로 변해 버렸습니다. 보시라, 요시코는 그날 밤부터 제 일빈일소一嚬一笑를 신경 쓰게 되었습니다.

"이봐."

하고 부르면 화들짝 놀라며 어디에 시선을 둬야 할지 곤혹스러워하는 모습입니다. 아무리 제가 웃겨 보려고 익살을 떨어도 어찌할 바를 몰라 움찔거리며 갑자기 제게 존댓말을 쓰게 되었습니다.

천진무구한 신뢰는 죄의 원천이로다.

저는 아내가 강간당하는 책을 이리저리 찾아 읽어 보았습니다. 하지만 요시코만큼 비참하게 강간당하는 여자는 한 명도 없었습니다. 본래 이것은 이야깃거리도 되지 않았습니다. 그 왜소한 남자와 요시코 사이에 연애와 닮은 감정이 조금이라도 있었다면 제 마음은 도리어 편했을지도 모르지만 단순히 여름날 밤 요시코가 신뢰하여 그렇게 된 것이 다였고, 거기다 그 탓에 저는 미간 한가운데가 갈라지고 목이 쉬었으며 새치가 돋았고, 요시코는 평생을 벌벌 떨어야만 했습니다. 대부분의 이야기는 아내의 '행위'를 남편이 용서하는가에 방점을 두고 있는 것 같았는데 그것은 제게 그다지 괴롭고 큰 문제는 아닌 것 같습니다. 용서하고 안 하고, 그러한 권리를 보유한 남편이야말로 행복할 것인가. 절대로 용서할 수 없다고 생각했다면 크게 난리를 칠 필요도 없이 하루빨리 아내와 인연을 끊고 새로운 아내를 맞이하면 되지 않는가. 그게 불가능하다면 '용서하고' 참아내든지, 어느 쪽이든 남편의 마음 하나로 사방팔방이 원만하게 수습될 것이라는 기분마저 들었습니다. 다시 말해, 그러한 사건은 분명 남편에게 커다란 쇼크겠지만 그것은 '쇼크'일 뿐이지 영원히 끝나지 않고 밀려오고 밀려가는 파도와 다르게, 권리가 있는 남편의 분노에 따라 어떻게든 결론을 낼 수 있는 문제처럼 생각된 것입니다. 하지만 우리의 경우 남편에게 아무런 권리도 없다고 생각하자 하나부터 열까지 제가 나쁜 것 같은 기분이 들면서 화를 내기는커녕 꾸지람 한마디 하지 못했습니다. 아내는 드물게 갖추고 있던 아름다운 본바탕에 의해 강간당한 것입니다. 거기다 아름다운 그 본바탕은 남편이 전부터 동경해 마지 않던, 순진무구한 신뢰라고 하는 견딜 수 없이 가련한 것이었습니다.

순진무구한 신뢰는 죄일지니.

저는 유일하게 의지할 수 있었던 아름다운 본성에도 의문을 품게 되었고, 이미 모든 것이 혼란스러워 기댈 것은 그저 알코올뿐이었습니다. 제 얼굴은 극도로 비루해졌고 아침부터 소주를 마셨으며 이가 우수수 빠지며 만화도 외설적이라고 할 수 있는 걸 그리게 되었습니다. 아뇨, 확실하게 말하겠습니다. 저는 그 당시부터 춘화를 베껴 밀매했습니다. 소주를 살 돈이 필요했습니다. 항상 제게서 시선을 돌리고 불안에 떨고 있는 요시코를 보면 '이 녀석은 경계할 줄 모르는 여자였으니 그 상인과 한 번만 그런 게 아니지 않을까? 혹시 호키리는? 아니지, 어쩌면 내가 모르는 사람과도?' 하는 의혹은 의혹을 낳았고, 그렇다고 해서 그것을 따져 물을 용기노 없었으며, 그런 불안과 공포에 몸부림치며 그저 소주를 마시고 취해서는 비겁한 유도신문 따위를 흠칫거리며 시험해보고, 속으로는 어리석게도 일희일비하며 겉으로는 더욱 익살을 떨어댔고, 그 후 요시코에게 꺼림칙한 지옥의 애무를 해가며 진흙처럼 정신없이 잠들었습니다.

그해 연말에 저는 밤늦게 만취하여 귀가했고, 설탕물이 먹고 싶었지만 요시코는 자는 것 같아서 직접 부엌에 가 설탕통을 찾아 뚜껑을 열어보니 설탕은 없고 검고 홀쭉한 종이로 된 작은 상자가 들어 있었습니다. 적당히 집어 그 상자에 붙어있는 레테르 Letter 를 보고 경악했습니다. 상표는 손톱으로 긁은 건지 반 이상 벗겨져 있었지만 영어 부분이 남아 있었고 거기에 선명히 적혀 있었습니다. DIAL.

디알. 저는 당시 한결같이 소주를 마셔 수면제를 사용하지 않았는데 불면증은 제 지병 같은 것이었기 때문에 수면제는 익숙했습니다. 디알이라고 적힌 이 상자 하나는 치사량 이상일 것입니다. 아직 상자의 봉인을 뜯지는 않았지만 언젠가 그럴 작정으로 이런 곳에, 거기다 레테르를 긁어내기까지 해서 숨겨둔 것이 분명했습니다. 가엾게도 저 아이는 레테르라는 영어를 몰랐기에 손톱으로 반쯤 긁어내고서 이걸로 됐다고 생각했던 거겠죠. (네게 죄는 없다.)

저는 소리를 내지 않으려고 조심스럽게 컵에 물을 채우고 나서, 천천히 상자의 봉인을 뜯어 약을 전부 입 속에 털어 넣고 물을 차분하게 마신 후 불을 끄고 그대로 잠들었습니다.

삼일 밤낮, 저는 빈사 상태였다고 합니다. 의사는 과실이라고 보고 경찰에 신고하는 걸 미뤘다고 합니다. 의식이 흐릿하게 돌아와서 가장 먼저 중얼거린 말은 집에 돌아가겠다는 말이었디고 합니디. 집이린 이디를 가리키는 것인지 본인조차 잘 몰랐지만 아무튼 그렇게 말하고 정신없이 울었다고 합니다.

서서히 안개가 걷히고 보니 머리맡에 넙치가 심히 언짢은 얼굴로 앉아 있었습니다.

"저번에도 연말이었지요. 피차 눈이 돌아갈 정도로 바쁜데도 항상 연말을 노려서 이런 일을 당하는 날에는 이쪽 수명이 남아나질 않겠어."

넙치의 이야기 상대는 교바시 바의 마담이었습니다.

저는,

"마담." 하고 불렀습니다.

"응? 정신이 들었니?"

마담은 제 얼굴 위에서 웃는 얼굴로 말했습니다.

저는 주르륵 눈물을 흘리며,

"요시코와 헤어지게 해줘."

자신도 생각지 못했던 말이 나왔습니다.

마담은 몸을 일으키고 가볍게 한숨을 내쉬었습니다.

그러고 나서 실로 생각지도 못하게, 어리석고 멍청하다고 형용하는 데 고심할 실언을 했습니다.

"난 여자가 없는 곳에 갈 거야."

'우왓핫핫' 하고 일단 넙치가 큰소리를 내어 웃었고 마담도 입을 막고 웃기 시작했으며, 저도 눈물을 흘리던 얼굴을 붉히며 씁쓸하게 웃었습니다.

"응, 그러는 게 좋겠군."

라고 하며 넙치는 끝까지 헤프게 웃으며,

"여자가 없는 곳에 가는 게 좋겠어. 여자가 있으면 아무래도 못 쓰겠다니까. 여자가 없는 곳에 간다는 건 좋은 생각입니다."

여자가 없는 곳. 하지만 자신의 바보 같은 헛소리는 후일 음산하게 실현되었습니다.

요시코는 제가 그녀 대신 독을 먹었나는 식으로

착각을 한 모양인지, 예전보다 더 눈치를 보며 제가 무슨 말을 해도 웃지 않았고 제대로 말도 하지 않는 모습이었기에, 저도 아파트 방에 있는 것이 끔찍해서 밖으로 나돌며 싸구려 술을 들이켜게 되었습니다. 하지만 디알 사건 이후, 제 몸이 현격하게 여위어 손발이 나른했고, 만화 일도 게을리하기 십상에 넙치가 문병 왔을 때 두고 간 돈(넙치는 시부타의 마음이라고 하며 자기 주머니에서 나온 것처럼 내밀었지만, 그것은 고향 형들 돈인 것 같았습니다. 저도 당시에는 넙치의 집에서 도망쳐 나온 때와 다르게 넙치의 거드름 피우는 연기를 어렴풋하게나마 꿰뚫어 볼 수 있었고, 저 역시 교활하게 완전히 시치미를 떼며 신묘하게 그 돈에 대한 인사를 건넸으나, 넙치들이 어째서 그렇게 번거로운 짓을 하는 건지 알 듯 모를 듯한, 정말이지 전 이상한 기분이 들어 견딜 수가 없었습니다.)으로 홀로

미나미이즈南伊豆 온천에 가보기도 했지만, 느긋하게 온천에서 유유자적할 수 있는 성격도 아니었고 요시코를 생각하면 미안한 마음이 끝도 없었으며, 숙소에서 산을 바라보는 안정된 심경과는 과히 동떨어져 있었고, 잠옷으로 갈아입지도 않고 온천물에도 들어가지 않으며, 밖에서는 너저분한 음식점에 들어가 소주를, 그야말로 뒤집어쏠 만큼 마시고 몸 상태를 더욱 나쁘게 만들어 귀경했을 뿐이었습니다.

도쿄에 대설이 내린 밤이었습니다. 저는 취해서 긴자 뒷골목에서, '여긴 고향 몇 백 리, 여긴 고향 몇 백 리[28]'라고 중얼거리듯이 작은 목소리로 노래하면서, 끊임없이 쌓여가는 눈을 구둣발로 흐트러뜨리며 걷다가 갑작스레 토했습니다. 그것은 저의 첫 각혈이었습니다. 눈 위에 커다란 일본 국기가 완성되었습니다. 저는 얼마간 쭈그리고서 깨끗한 곳의 눈을 양손으로 피담이 얼굴을 씻으며 울었습니다.

여어긴 어어느 좁은 길인가?

여어긴 어어느 좁은 길인가?

가련한 동네 계집아이의 노랫소리가 환청처럼 조금 멀리서 들려왔습니다. 불행. 이 세상에는 여러 불행한 사람이 아니, 불행한 인간밖에 없다고 해도 과언이 아니겠지만, 그 사람들의 불행은 세상을 향해 당당하게 항의할 수 있고 세상 역시도 그들의 항의를 쉽게 이해하며 동정합니다. 하지만 제 불행은 모두 저의 죄악에서 비롯된 것이기에 누구에게도 항의할 방법이 없고, 또 머뭇거리며 한 마디라도 항의 비슷한 말이라도 할라치면 넙치를 비롯한 세상 사람들 모두가 잘도 그딴 소리가 나온다며 어처구니없어할 게 뻔했으며, 제 성향이 흔히 말하는 '방자'한 건지 아니면 반대로 마음이 너무 여린 건지 저도 영문을 모르겠지만, 아무튼 죄악의 덩어리답게 끝없이 점점 불행해질 뿐, 막아낼 구체적 방안이 없습니다.

　저는 자리에서 일어나서 일단 적당히 약을 먹어야겠다 싶어서 가까운 약국에 들어가 그곳 주인과 얼굴을 마주했고, 순간 주인은 플래시를 받은 것처럼 목을 들고 눈을 크게 뜨더니 우두커니 서 있었습니다. 하지만 크게 뜬 그 눈에는 경악이나 혐오의 빛 없이 마치 구원을 바라는 듯한, 연모하는 듯한 빛이 드러나 있었습니다. '아아, 이 사람도 분명 불행하다. 불행한 사람은 남의 불행에도 민감하니까.'라고 생각했을 때, 이윽고 그 부인이 목발을 짚고 위태롭게 서 있다는 것을 알아챘습니다. 달려들고 싶은 마음을 억누르며 계속해서 그 부인과 얼굴을 마주하고 있는 사이에 눈물이 났습니다. 그러자 부인의 커다란 눈에서도 눈물이 수르륵 흘러넘치셨습니다.

그걸 끝으로 한마디도 하지 않고 저는 그 약국에서 나와 비틀거리며 아파트로 돌아갔고, 요시코에게 소금물을 가져오게 해 마시고는 가만히 잠들었습니다. 다음 날도 감기 기운이 있다고 거짓말을 한 후 온종일 잤고, 그날 밤 저만 아는 각혈이 너무나 불안하여 견딜 수 없어서, 결국 자리에서 일어나 그 약국으로 가서 이번에는 웃으면서 부인에게 솔직하게 제 몸 상태를 고백하고 상담했습니다.

"술을 자제하셔야."

우리는 한 몸 같았습니다.

"알코올 중독일지도 모르겠습니다. 지금도 마시고 싶어요."

"안 됩니다. 제 남편도 폐결핵이면서 균을 술로 죽인다느니 뭐니 하며 술을 진탕 마시며 스스로 수명을 갉아먹었어요. "

"불안해서 안 돼요. 무서워서 도무지 견딜 수가
없어요."

"약을 드리죠. 술은 꼭 끊으세요.”

부인(남편을 잃고, 아들 하나가 지방 의대에
들어갔는데 얼마 지나지 않아 아버지와 같은 병에 걸려
휴학하고 입원 중이며, 집에는 중풍에 걸린 시아버지가
누워 있고, 부인 자신은 다섯 살 때 소아마비로 한쪽
다리가 전혀 움직이지 않게 되었습니다.)은 목발을
짚으면서 절 위해 이쪽 선반, 저쪽 서랍을 오가며
이런저런 약품을 조합했습니다.

이것은 조혈제[29].

이건 비타민 주사액. 주사기는, 이것.

이건 칼슘. 위장을 위한 다이아스타제 Diastase.

이건 뭐, 저건 뭐 하며 애정을 가지고 대여섯 종류의
약품에 관해 설명했지만 이 불행한 부인의 애정 또한

제게는 너무 깊은 것이었습니다. 마지막으로 부인이 이건 정말 너무 술이 마시고 싶어서 견딜 수 없을 때 먹는 약이라고 하며 빠르게 종이로 싼 작은 상자를 주었습니다.

모르핀 주사액이었습니다.

술보다는 해가 되지 않는다고 부인도 말했고 저도 그걸 믿었으며, 술에 취하는 것도 불결하게 느껴지던 찰나기도 했고, 오랜만에 알코올이라는 사탄에서 벗어날 수 있다는 기쁨에 휩싸여 아무런 주저 없이 제 팔에 모르핀을 주사했습니다. 불안도 초조도 수줍음도 말끔히 제거되어 저는 매우 활기찬 능변가로 변모했습니다. 그리고 그 주사를 놓은 저는 몸이 쇠약해졌다는 것도 잊고 만화 일에 힘쓰며 자신이 그리면서도 웃음을 터뜨릴 정도로 이상야릇한 버릇이 생겼습니다.

하루 한 방이 두 방이 되고 네 방이 되었을 무렵,

저는 그것 없이는 일할 수 없는 상태였습니다.

"안 돼요. 중독되면 정말 큰 일입니다."

약국 부인에게 그런 말을 듣고 보니 이미 중독된 중증 환자인 것 같았고(저는 남의 암시에 무르고 걸려들기 쉬운 성격이었습니다. 이 돈은 쓰면 안 된다고 누가 말해도 "네가 그럼 그렇지."라는 소리를 들으면 어쩐지 쓰지 않으면 미안한 것 같은, 기대를 저버리는 것 같은 이상한 착각이 들어 언제나 곧장 그 돈을 썼습니다.), 중독에 대한 불안 탓에 도리어 약을 더 원하게 되었습니다.

"부탁해요! 한 상자 더. 계산은 이달 말에 반드시 치를 테니까."

"계산 같은 건 언제든 상관없지만 경찰이 시끄러워서."

아아, 언제나 제 주위에는 어딘가 탁하고 어둡고 수상하며 음울한 놈팡이의 기운이 따라다닙니다.

"그걸 좀 어떻게 속여 넘겨서요, 부탁할게요 부인. 키스해드리지."

부인은 얼굴을 붉혔습니다.

저는 더욱 기세를 올려,

"약이 없으면 일이 진척되질 않아. 내게 저건 자양강장제 같은 거야."

"그러면 차라리 호르몬 주사가 낫겠죠."

"바보 같은 소리 마세요. 술이나, 그도 아니면 저 약이나 그게 없으면 일을 못 한대도."

"술은 안 됩니다."

"그렇죠? 난 말이죠, 그 약을 쓰고 나서 술은 한 방울도 입에 대지 않았어. 덕분에 몸 상태가 굉장히 좋아. 나도 이대로 엉터리 만화만 그리고 있을 생각은 없어. 앞으로 술을 끊고 몸도 낫고 공부도 해서 반드시 위대한 화가가 될 거야. 지금이 중요한 때야. 그러니 좀,

부탁할게요. 키스해드릴까?"

부인은 웃기 시작하며,

"이거 참 곤란하네. 중독돼도 전 책임 못 져요."

목발 소리를 내며 그 약품을 선반에서 꺼내어,

"한 상자는 다 못 드려요. 바로 다 써버릴 테니까. 여기 반절이요."

"쩨쩨하기는, 흐음 하는 수 없나."

집에 돌아와서 곧장 주사를 한 방 놓았습니다. "안 아파요?"

요시코는 불안에 떨며 제게 물었습니다.

"그야 아프지. 하지만 일의 능률을 올리려면 싫어도 이걸 해야만 해. 나 요즘 굉장히 활기차지? 자, 일이다. 일, 일."

이라며 까불거립니다.

심야, 약국 문을 두드린 적도 있습니다. 잠옷

차림으로 목발을 짚으며 나온 부인을 갑자기 안고 키스를 하며 우는 흉내를 냈습니다.

부인은 묵묵히 제게 약상자를 건넸습니다.

약물 또한 소주와 똑같이, 아니 그 이상으로 꺼림칙하고 불결한 것이라고 절실히 느꼈을 땐 이미 완벽한 중독자가 된 후였습니다. 실로 철면피 그 자체였습니다. 저는 약을 손에 넣고 싶은 나머지 다시 포르노 베끼기를 시작했고 약국의 절름발이 부인과 말 그대로 흉한 관계마저 맺었습니다.

죽고 싶다, 차라리 죽고 싶다. 이제 되돌릴 수가 없다. 무슨 일을 하든, 뭘 하든 엉망이 될 뿐이야. 수치를 덧칠할 뿐이야, 자전거로 아오바노타키를 가다니, 내게 가당치도 않은 일이지. 그저 더러운 죄에 비참한 죄가 더해지며 고통이 늘어가고 강렬해질 뿐이다. 죽고 싶다, 죽어야만 한다. 살아 있는 것이 죄의 근원이다. 이렇게 생각해도 변함없이 아파트와 약국 사이를 반미치광이 모습으로 왕복할 뿐이었습니다.

일을 아무리 늘려가도 약의 사용량 역시 따라서 늘어가기 때문에 약값이라는 빚이 산처럼 불어갔습니다. 부인은 제 얼굴을 보면 눈물지었고 저도 눈물을 흘렸습니다.

지옥.

지옥에서 벗어나기 위해 최후의 수단, 이것이 실패한다면 남은 건 목을 맬 수밖에 없다고 하는, 신의 존재를 걸 정도의 결의 후, 고향 아버지 앞으로 기나긴 편지를 적어 제 상황 전부를(아무리 그래도 여자에 대한 것은 쓸 수 없었지만) 고백하기로 했습니다.

하지만 결과적으로 더 악화하였는데, 기다리며 살고 있어도 아무런 대답이 없어 그 초조함과 불안 탓에 저는 도리어 약의 투여량을 늘리게 되었던 탓입니다.

오늘 밤, 단숨에 열 방을 주사하고서 오오카와大川에 뛰어들자고 속으로 각오를 다진 그날 오후, 넙치가 악마 같은 감으로 냄새를 맡은 것처럼 호리키를 데리고 나타났습니다.

"너 각혈을 했다지."

호리키는 제 앞에 정좌하고 앉아서 유례가 없을 정도로 상냥한 미소를 지었습니다. 그 상냥한 미소가 고맙고 기뻐서 저도 모르게 얼굴을 돌리고 눈물을 흘렸습니다. 그리고 그의 그 상냥한 미소 하나에 넘어간 저는 완전히 부서져 매장된 것입니다.

그들은 저를 자동차에 태웠습니다. 아무튼 입원해야만 한다고, 그 후의 일은 자기들에게 맡기라고 넙치도 숙연한 어조로(자비 깊다고 형용하고 싶을 정도로 매우 차분한 어조였습니다.) 제게 권했고, 저는 의지력도 판단력도 아무것도 없는 사람처럼 그저 훌쩍훌쩍 울면서 유유낙낙 그들의 분부를 따랐습니다. 요시코도 포함하여 넷이서 꽤 오랫동안 자동차를 타고 주변이 어둑어둑해질 무렵 숲속 커다란 병원 현관에 도착했습니다.

새너토리엄 Sanatorium[30]이라고만 생각했습니다.

저는 젊은 의사의 극도로 온화하고 정중한 진찰을 받았고 그 후 의사는,

"일단 얼마간 여기서 정양靜養하는 거죠."

라고 마치 수줍어하는 것처럼 미소 지으며 말했고, 넙치와 호리키와 요시코는 절 혼자 두고 돌아가게 되었는데, 요시코는 갈아입을 옷을 넣어둔 보퉁이를 제게 건네고 가만히 허리춤에서 주사기와 사용하다 남은 그 약을 꺼냈습니다. 역시 강장제라고 생각했던 걸까요.

"아니, 이제 필요 없어."

실로 드문 일이었습니다. 누가 권했을 때 그것을 거부한 적은 지금까지의 생애에서 그때 단 한

번이었다고 해도 과언이 아닙니다. 제 불행은 거부할
능력이 없는 사람의 그것입니다. 누가 권했는데
거절하면 상대방의 마음에도 그렇고 제 마음에도 영원히
고칠 수 없는 선명한 금이 생길 것 같다는 공포에
떨었던 것입니다. 하지만 저는 그때 미치광이처럼
갈구하던 모르핀을 너무도 자연스럽게 거부했습니다.
요시코의 이른바 '신 같은 무지無智'에 한 대 맞은
것일까요. 저는 그 순간 이미 중독 상태에서 벗어났던
건 아닐까요?

　하지만 저는 그 후 곧장 수줍은 듯한 미소를 짓는
젊은 의사에게 안내를 받아 어느 병동에 갇히게 됩니다.
여긴 뇌병원이었습니다.

　여자가 없는 곳에 가겠다고 했던, 디알을 먹었을 때의
제 어리석은 헛소리가 그야말로 기묘하게 실현된
것입니다. 병동엔 미친 남자들만 있었고 간호사도

남자였으며 여자는 한 명도 없었습니다.

저는 이제 죄인 따위가 아니라 광인이었습니다. 아뇨, 단연코 저는 미치지 않았습니다. 한순간도 미친 적은 없습니다. 하지만, 아아, 미친 인간은 대체로 자신에 대해 그렇게 말한다고 합니다. 다시 말해, 이 병원에 들어온 자는 정신병자, 들어오지 않은 자는 정상인이라는 것 같습니다.

하느님께 묻사오니. 무저항은 죄입니까?

저는 호리키의 신기하고 아름다운 그 미소에 의해 울면서 판단이나 저항도 잊고 자동차에 올라탔고, 이리로 끌려와 미친 사람이 되었습니다. 당장 이곳에서 나간다고 해도 저는 역시나 미친 사람, 아뇨 폐인이라는 각인이 이마에 새겨지겠죠.

인간, 실격.

이제 전 완전히 인간에서 벗어났습니다.

여기에 온 것은 초여름 경이었고, 쇠창살 창문에서 병원 뜰 작은 연못에 붉은 수련 꽃이 피어 있는 것이 보였지만 그로부터 석 달이 지났으며, 뜰에 코스모스가 피기 시작할 때 생각지도 못하게 고향의 큰형이 넙치를 동행하고 저를 데리러 찾아와서 아버지가 저번 달 말에 위궤양으로 돌아가셨다는 것, 우리는 더 이상 네 과거는 묻지 않겠다는 것, 생활에 대해 걱정할 필요가 없고 아무것도 하지 않아도 좋다는 것, 그 대신 여러 가지 미련도 있을 테니 곧장 도쿄에서 나와 시골에서 요양 생활을 시작하라는 것, 도쿄에서 일으킨 일의 뒤처리는 대부분 시부타가 해주었을 테니 그건 신경 쓰지 않아도 좋다는 것을 진지하고 긴장된 어조로 말했습니다.

고향의 산과 강이 눈앞에 보이는 것 같아서 저는 희미하게 고개를 끄덕였습니다.

폐인 그 자체.

아버지가 타계했다는 걸 알고 나서 저는 드디어 얼이 빠졌습니다. 아버지는 더 이상 없다. 자신의 가슴속에서 한시도 떠난 적 없던 그립고 두려운 존재가 어디에도 없다. 자신의 고뇌의 항아리가 텅텅 비어버린 것 같은 기분이 들었습니다. 고뇌의 항아리가 매우 무거웠던 것도 아버지 탓이었을지도 모르겠다는 생각마저 들었습니다. 그야말로 김이 빠졌습니다. 고뇌하는 능력마저 잃었습니다.

큰형은 제게 한 약속을 정확하게 실행했습니다. 제가 나고 자란 마을에서 남쪽에 기차로 네다섯 시간 걸리는 곳에 동북지방에서는 드물게 따뜻한 해안 온천 마을 변두리에 있는, 방은 다섯이나 되지만 상당히 오래된 집인 듯 벽은 벗겨지고 빛바랬으며 기둥은 벌레가 파먹어 수리 견적도 나오지 않는 누추한 집茅屋을 사서 제게 주고, 육십에 가까운 붉은 머리에 추한 가정부를 한 명 붙여주었습니다.

그로부터 삼 년 남짓이 지났고, 저는 그사이에 테시라고 하는 늙은 가정부에게 수차례 묘하게 능욕당하며 때때로 부부 싸움 비슷한 걸 했고, 가슴의 병은 일진일퇴, 살이 빠졌다가 찌는 걸 반복하며 혈담도 토했습니다. 어제 테시에게 칼모틴을 사 오라고 마을 약국에 심부름을 보냈더니 평소와 다른 모양의 상자에 든 진정제를 사 왔고, 저도 그다지 신경 쓰지 않았지만 자기 전에 10정을 복용해도 잠들 수 없었기에 이상하다고 생각하는 사이에, 배가 아파서 급히 화장실에 갔더니 맹렬한 설사를 한데다 연이어 세 번이나 화장실을 들락날락했습니다. 아무리 생각해도 이상하여 약상자를 잘 살펴보니 그것은 헤노모틴이라는 설사약이었습니다.

저는 위를 보고 누워 배에 탕파를 얹고 테시에게

잔소리를 해야겠다고 생각했습니다.

"이건 칼모틴이 아니야. 헤노모틴이라잖아."

하고 말하며 저도 모르게 웃고 말았습니다. '폐인', 이것은 아무래도 희극명사 같습니다. 잠을 자려고 설사약을 먹은 데다 그 설사약의 이름이 헤노모틴.

지금 제게는 행복도 불행도 없습니다.

그저 모든 것은 지나갑니다.

지금까지 아비규환 속에서 살아온 이른바 '인간' 세계에 대해 유일하게 진리로 생각된 것은 그것뿐입니다.

그저 모든 것은 지나갑니다.

저는 올해 스물일곱입니다. 흰머리가 제법 늘었기에 남들에겐 마흔 이상으로 보입니다.

후기

이 수기를 써 내려간 광인을 직접 아는 건 아니다. 그러나 이 수기에 나오는 교바시 스탠드바의 마담으로 추정되는 인물을 조금 알고 있다. 몸집이 작고 얼굴색이 좋지 않으며, 눈이 가늘며 올라가 있고 코가 높은, 미인이라기보다는 미청년이라고 하는 편이 좋을 정도로 딱딱한 느낌이 드는 사람이다. 이 수기는 아무래도 1930~1932년 당시 도쿄의 풍경이 주로 묘사된 듯 보이는데, 교바시 스탠드바에 친구와 함께 두어 번 들러 하이볼 따위를 마신 것은 서서히 일본 '군부'가 노골적으로 날뛰기 시작했던 1935년 전후의 일이었으니, 이 수기를 쓴 남자를 볼 수는 없었던 것이다.

그런데 올해 2월, 나는 지바현 후나바시船橋에

피난[31]하고 있던 한 친구를 찾아갔다. 그 친구는 내 대학 시절 학우로 지금은 모 여대에서 강사를 하고 있었는데 사실 나는 이 친구와 우리 집안사람의 혼담을 진행하려고 했기에 그 용건도 있었고, 겸사겸사 신선한 해산물이라도 공수해서 우리 집사람들과 함께 먹어야겠다는 생각으로 등산용 배낭을 짊어지고 외출한 것이다.

후나바시시는 갯벌에 인접해 있는 상당히 큰 마을이었다. 새로 이주한 친구의 집은 현지 사람에게 소재지를 말하고 물어봐도 좀처럼 알기 어려웠다. 추운 데다 등산용 배낭을 짊어진 어깨가 아파졌고, 레코드의 바이올린 선율에 이끌려 나는 어느 카페 문을 밀었다.

그곳 마담을 본 기억이 있어 물어보니 아니나 다를까, 십 년 전 교바시에 있던 작은 바의 마담이었다. 마담도 날 곧장 기억해낸 건지 서로 과장되게 놀라며 웃었고,

공습으로 불타버린 서로의 상투적인 경험을 묻지도
않았는데 너무나도 자랑스럽게 이야기하며,

"그런데 당신은 그때랑 똑같네."

"아뇨, 이제 할머니가 다 됐죠. 몸이 예전 같지 않아요.
당신이야말로 젊군요."

"말도 안 돼. 아이가 벌써 셋이나 되는걸. 오늘은
녀석들을 위한 먹거리 조달차 왔어요."

이라며, 오랜만에 만난 사람끼리 으레 하는 인사를
교환한 후, 공통된 지인의 소식을 묻는 사이에 문득
마담은 어조를 바꾸며 요우를 아느냐고 했습니다.
모른다고 대답하자 마담은 안으로 가서 세 개의 수첩과
요우의 사진을 가지고 와서 제게 건네고는,

"소설 소재가 될지도 몰라요."

라고 말했다.

나는 남이 떠넘긴 재료로 쓰지 못하는 성격이었기에

곧장 그 자리에서 돌려주려고 했지만(세 장의 사진, 그 기묘함에 대해서는 서문에도 적어두었다.) 그 사진에 마음이 끌려 어느새 노트를 빌리게 되었고, 돌아갈 때 다시 여기에 들렀는데 몇 번지에 사는 누구누구 씨, 여대에서 학생들을 가르치는 일을 하는 사람의 집을 모르시느냐고 물으니 새로 이주해온 주민답게 알고 있었다. 때때로 이 찻집에도 온다고 했다. 그곳은 근처에 있었다.

그날 밤 친구와 얼마간 술잔을 주고받고 나서 묵고 가기로 하고, 나는 아침부터 한숨도 자지 않고 그 노트를 읽었다.

그 수기에 적혀 있는 것은 옛이야기였지만 현대인들이 읽어도 흥미를 느낄 게 분명했다. 섣불리 내 글을 덧붙이는 것보다는 이걸 그대로 출판사에 맡겨서 발표하는 편이 더욱 유익할 거라고 생각되었다.

아이들에게 줄 선물인 해산물은 건어물뿐. 나는 등산용 배낭을 짊어지고 친구와 헤어진 후에 그 찻집에 들러,

"어젠 감사했습니다. 그런데, ……."

하고 곧장 화제를 전환하며,

"이 노트를 얼마간 빌려갈 수 있을까요?"

"네, 그러세요."

"이 사람은 아직 살아 있나요?"

"글쎄요, 그게 전혀 모르겠습니다. 십 년쯤 전에 교바시 가게 앞으로 그 노트와 사진이 든 소포가 왔고, 수신인은 요우가 분명했는데 소포에는 요우의 주소도 그렇고 이름조차 적혀 있지 않았어요. 도쿄 공습 때 다른 것들과 섞여서 이것도 신기하게 남아 있던 거겠죠. 전 근래에 처음으로 다 읽어보고는, ……."

"우셨나요?"

"아뇨, 울었다기보다, ……안 되겠네. 인간도 저리 되어서는 끝장이죠."

"그로부터 십 년이라고 하면 이미 돌아가셨을지도 모르겠군요. 이건 당신에 대한 감사 인사로 보낸 거겠죠. 다소 과장되어 적혀 있는 부분도 있지만 당신의 마음에도 큰 울림이 있었던 것 같군요. 만일 이게 전부 사실이라면 그리고 제가 이 사람의 친구였다면 저 역시 뇌병원에 데려가고 싶어졌을지도 모르겠어요."

"그 사람 아버지가 나빴던 거죠."

아무렇지도 않게 그렇게 말했다.

"우리가 알고 있는 요우는 굉장히 솔직하고 붙임성 좋고, 술만 마시지 않으면 아뇨, 마셔도, ……하느님 같은 좋은 아이였습니다."

<주석>

_____

[1] 철도 위를 가로지르는 육교.

[2] 설탕에 절인 화과자 중 하나. 발효식품인 낫토와는 관련이 없다.

[3] 1904년, '폐결핵 예방 규칙'이 제정된다. 이는 이른바 '가래병령'이라 불리는 것으로, 공공장소에 단지를 설치하고 이곳 이외에는 가래나 침을 뱉어서는 안 된다는 규정이었다.

[4] 무늬가 들어간 종이.

[5] 폐결핵의 초기단계.

[6] 도시의 상업지역으로 서민이 거주하는 곳.

[7] 도쿄도 다이토구 아사쿠사에 있는 카미야 바의 창업자 카미야 덴베에 神谷伝兵衛가 만든 알코올 음료를 말함.

[8] 허영심.

[9] 사회 부적응자를 뜻함.

[10] 사정이 있는 사람, 남에게 숨기는 일이나 과거 악행을 저질러 뒤가 켕기는 부분이 있는 사람을 뜻함.

11 진정제.

12 무늬가 흐릿하게 보이는 것이 특징인 문양 직물의 일종이며, 가라스사를 사용한 직물을 말함.

13 일본 난방기구.

14 일본 전통 신발.

15 게타의 끈.

16 팥 등을 설탕으로 달달하게 끓인 국물에 떡이나 밤 등을 넣어 끓인 음식. 한국의 팥죽과 유사함.

17 에도시대의 무사 가문의 하인이 팔을 벌린 모습을 본떠 만든 연.

18 중매쟁이.

19 사카모토 료마의 속요. [의미] 강가에 우거진 버드나무야, 어찌 그리 시름에 잠겨 있느냐. 넌 지금 좋은 곳에 있단다. 네가 항상 응시하고 있는 강이 흘러가는 것처럼 싫은 일은 모두 흘러보내며 살자꾸나.

20 현 JR.

21 정사 후 살아남다, 언어유희. 죠시 이키타를 다른 식으로 읽으면 정

사 후 살아남다 라는 의미가 됨.

22 4행 시집이란 뜻으로 오마르 하이얌의 시집을 가리킴.

23 이 시는 현실의 비참함에 대한 인식에 따른, 순간적인 쾌락주의를 노래한 고대 페르시아의 오마르 하이얌의 시 '루바이아트'를 인용한 것이며, 본 작품에서 주인공이 이상에 반하는 성인용 만화를 그리면서 겨우 생활 가는 현실에 대한 자조와 재기의 마음이 뒤섞인 감정을 표현하는 데 사용되었다.

24 나라현에 있는 폭포.

25 성호파(星菫派). 메이지 시대, 하늘의 별과 땅의 제비꽃에 빗대어 연애를 노래한 낭만파 시인들을 일컬음. 그 일파를 생각하며 분류한 것으로 추정됨.

26 일본 전통 악기 샤미센을 반주로 하여 주로 의리나 인정을 노래한 대중적인 창.

27 죄는 스미, 꿀은 미츠. 글자를 이용한 언어유희.

28 '전우'라는 노래 가사. '이곳은 고향에서 몇 백 리 떨어진 만주. 이곳에 전우는 잠들어 있다. 조금 전까지 최전선에서 싸우던 자가 이곳에 잠들어 있다......'로 시작됨.

29 혈액, 특히 적혈구를 증가시키는 의약품.

30 요양소.

31 2차 세계 대전 당시, 폭격을 피해 대도시의 초등학생과 임산부 등을 지방으로 이주시켰던 일.

인간실격

발 행 | 2024년 6월 12일

저 자 | 다자이 오사무(역. 이은)

펴낸이 | 한건희

펴낸곳 | 주식회사 부크크

출판사등록 | 2014.07.15.(제2014-16호)

주 소 | 서울 금천구 가산디지털1로 119, SK트윈타워 A동 305호

전 화 | 1670-8316

이메일 | info@bookk.co.kr

ISBN | 979-11-410-8937-5

www.bookk.co.kr

ⓒ 이은 2024